PAR JIM DAVIS

PAR JIM DAVIS

TRADUIT DE L'AMÉRICAIN PAR
JEAN-ROBERT SAUCYER

Publié par **PRESSES AVENTURE**, une division de
LES PUBLICATIONS MODUS VIVENDI INC.
5150, boul. Saint-Laurent, 2e étage
Montréal (Québec) H2T 1R8
Canada

Dépot légal: 3e trimestre 2003
Bibliothèque nationale du Québec
Bibliothèque nationale du Canada
Bibliothèque nationale de France

Données de catalogage avant publication (Canada)
Davis, Jim
Garfield poids lourd #7
Bandes dessinées.
ISBN 2-89543-109-4

Canadä Nous reconnaissons l'aide financière du gouvernement du Canada par l'entremise du Programme d'aide au développement de l'industrie de l'édition (PADIÉ) pour nos activités d'édition.

Gouvernement du Québec — Programme de crédit d'impôt pour l'édition de livres — Gestion SODEC

GLOUP !
CHOMP !
GOBE !
12-7
© 1980 United Feature Syndicate, Inc.

PLIC !

ODIE !
JIM DAVIS

JE TE DÉCERNE LE PRIX DE LA MAUVAISE HUMEUR

© 1997 PAWS, INC./Distributed by Universal Press Syndicate
QUE SUIS-JE CENSÉ FAIRE DE CE STUPIDE TROPHÉE...?

JIM DAVIS 5-14
DIRE QUE JE SUIS LE MEILLEUR

JIM DAVIS 5-15

© 1997 PAWS, INC./Distributed by Universal Press Syndicate

NOUS VENONS T'EMBÊTER À TOUR DE RÔLE

VOICI UNE EAU DE COLOGNE PERSONNALISÉE

ON ASSOCIE LA PERSONNALITÉ À UNE FRAGRANCE QUI LUI CONVIENT
© 1997 PAWS, INC./Distributed by Universal Press Syndicate

ÇA S'APPELLE «EAU D'ANDOUILLE»
AVEC ÇA, PAS BESOIN DE GARDE DU CORPS!
JIM DAVIS 5-16

J'AI PASSÉ HUIT HEURES À ASSEMBLER UN PUZZLE
© 1997 PAWS, INC./Distributed by Universal Press Syndicate

EN FAIT, IL MANQUAIT UNE PIÈCE
QUEL HASARD!

J'AI PASSÉ HUIT HEURES À ASSEMBLER UN PUZZLE ET IL MANQUAIT 499 PIÈCES
JIM DAVIS 5-17

GARFIELD®

CLIC
CLIC
CLIC

EUF
JIM DAVIS 5-18

LE TEMPS EST LONG QUAND ON ATTEND LE LIVREUR DE PIZZA!

REGARDE GARFIELD!

UNE NOUVELLE MARQUE DE GÂTERIES POUR CHATONS!

ELLES ONT LA FORME DE PETITS FACTEURS QUI S'ENFUIENT
«FONCTION-NAIRES GIVRÉS DE SUCRE». J'ACHÈTE!
JIM DAVIS 5-19

GARFIELD, SI VRRRAIMENT TU ES GENTIL...
miam miam

JE VAIS TE DONNER UNE GÂTERIE
HUM

IL SEMBLE QUE JE VAIS ENCORE DEVOIR LE RUDOYER POUR METTRE LA PATTE SUR LA BOÎTE
JIM DAVIS 5-20

AAHHH

HOUOUOUOU
DE NOUVELLES GÂTERIES À SAVEUR DE LASAGNE
JIM DAVIS 5-21

NAVRÉ VIEUX, PLUS DE GÂTERIES POUR CHATS

J'IRAI PEUT-ÊTRE EN ACHETER QUAND J'EN AURAI LE TEMPS
JIM DAVIS 5-22

DES BONS DE RÉDUCTION?
MIAM MIAM

UN NOUVEAU POISSON!
MINUTE! JE NE SUIS PAS QU'UN POISSON ; JE SUIS UN POISSON MAGIQUE

TIENS DONC!
VRAIMENT! JE PUIS T'ACCORDER TON VŒU LE PLUS CHER

D'ACCORD! JE DÉSIRE DE LA SAUCE TARTARE
ZUT! C'EST LOUPÉ!
JIM DAVIS 5-23

QU'AS-TU DONC DANS LA BOUCHE, GARFIELD?
RIEN

GARFIELD ?!

C'EST L'UN DE CES OISEAUX QUI RESSEMBLENT AUX HIRONDELLES MAIS N'EN SONT PAS. J'AI OUBLIÉ COMMENT ON LES APPELLE
JIM DAVIS 5-24

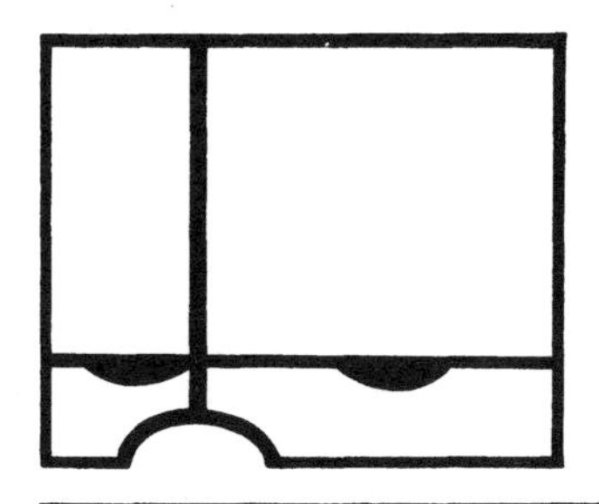

GARFIELD®

HUM PFFT!

REGARDE-TOI, GROS PARESSEUX!

DEBOUT! BOUGE DE LÀ! SECOUE-TOI!

VA JOUER DEHORS! PRENDS UNE BOUFFÉE D'AIR!

VA À LA BIBLIOTHÈQUE, OUVRE UN LIVRE!

ENCORE AVACHI SUR TON FAUTEUIL, HEIN?
OUAIS
JIM DAVIS 3-25

BIIIEN! JE T'AI BIEN FORMÉ!
© 1997 PAWS, INC./Distributed by Universal Press Syndicate

N'INSISTE PAS GARFIELD
GARFIE
JIM DAVIS 5-26

TU AS DÉJEUNÉ IL Y A UNE HEURE
GARFIE

CESSE DE VIVRE DANS LE PASSÉ JON
GARF

ODIE A UN PEU FROID. JE L'AIDE À ENFILER QUELQUES CHAUSSETTES

JIM DAVIS 5-27

ME VOICI AU BAL DES FINISSANTS
Photos
JIM DAVIS 5-28

LE THÈME EN ÉTAIT : LA SANTÉ DES OS GRÂCE AUX PRODUITS LAITIERS

ON M'A ÉLU ROI DES PIS
BEAU COSTUME!

GARFIELD!
JIM DAVIS 5-29

AS-TU BRISÉ CETTE LAMPE?!

SEULEMENT LA PARTIE DU BAS

C'EST L'HEURE DE LA RIGOLADE!
JIM DAVIS 5-30

LE RÉVEIL RETARDE PEUT-ÊTRE

RIEZ ET LE MONDE RIRA AVEC VOUS!
JIM DAVIS 5-31

T'AS RIEN DE MIEUX À FAIRE, LE MONDE?

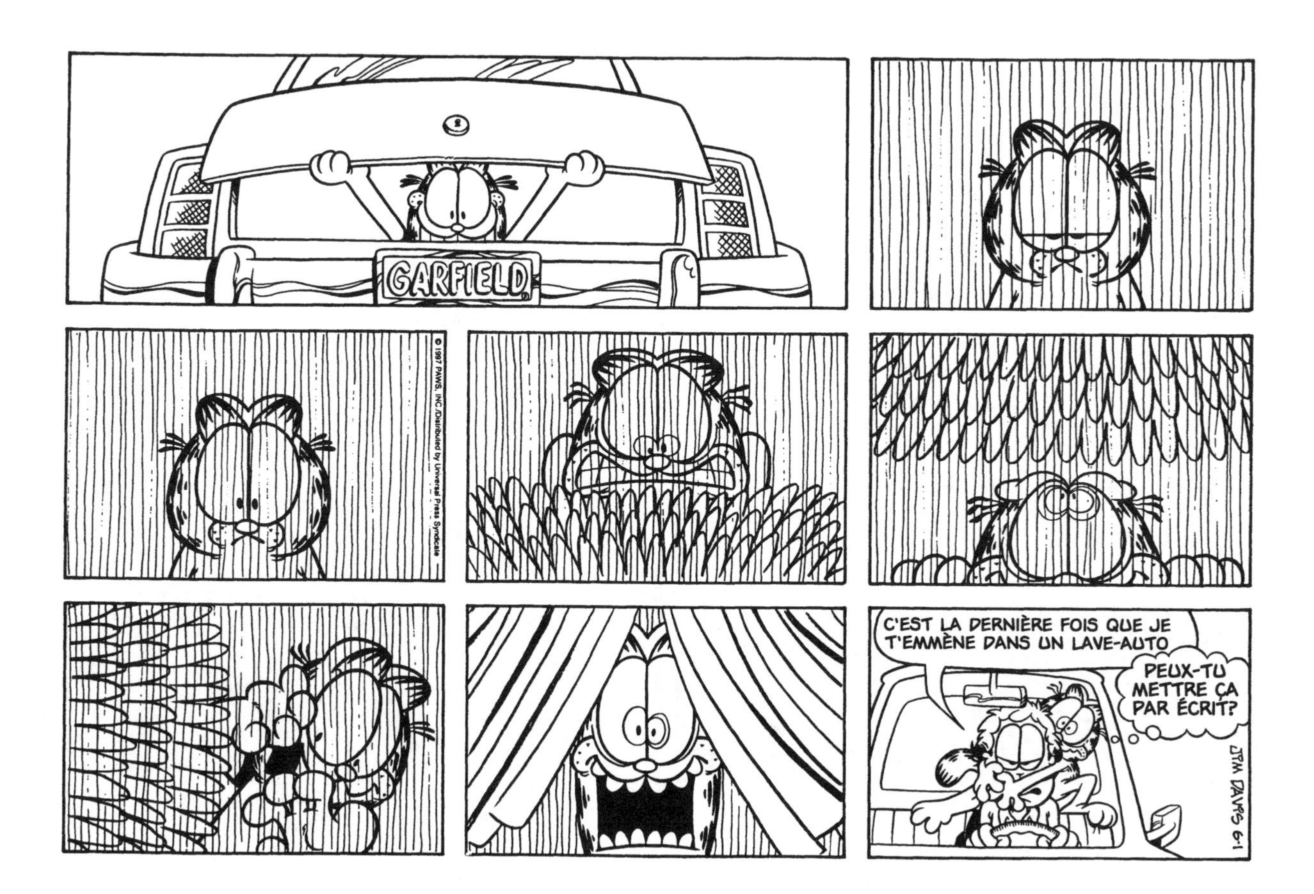
GARFIELD
© 1997 PAWS, INC./Distributed by Universal Press Syndicate
C'EST LA DERNIÈRE FOIS QUE JE T'EMMÈNE DANS UN LAVE-AUTO
PEUX-TU METTRE ÇA PAR ÉCRIT?
JIM DAVIS 6-1

HUM...
JIM DAVIS 6-2
© 1997 PAWS, INC./Distributed by Universal Press Syndicate

«SCORPION : UN VOYAGE IMPRÉVU MODIFIE VOTRE AVENIR IMMÉDIAT»

WHACK

JE M'APPELLE MYRON ET JE SUIS NOUVEAU PAR ICI
JIM DAVIS 6-3

GROS MAILLET!
© 1997 PAWS, INC./Distributed by Universal Press Syndicate

UNE SI BRÈVE EXISTENCE, UNE FIN PLUS BRÈVE ENCORE

HÉ! JE CROYAIS T'AVOIR ÉCRASÉE HIER
NAN!
© 1997 PAWS, INC./Distributed by Universal Press Syndicate

SEULEMENT UNE DE MES PATTES

VEUX-TU SIGNER TON NOM SUR MON PLÂTRE?
JIM DAVIS 6-4

QU'EST-IL ARRIVÉ?
LE CHAT M'A ÉCRASÉE. IL DÉTESTE LES ARAIGNÉES
JIM DAVIS 6-5
© 1997 PAWS, INC./Distributed by Universal Press Syndicate

TU N'ES PAS LA SEULE

IL HAIT AUSSI LES MOUCHES
OUILLE!

QUE FONT LES ARAIGNÉES POUR SE DIVERTIR?
JIM DAVIS 6-6

MOI, J'ADORE LA LECTURE

EH BIEN, AMUSE-TOI!

JIM DAVIS 6-7

SPLUT

RIEN N'EST PLUS DÉTESTABLE QU'UNE ARAIGNÉE INTELLIGENTE
HI HI HI !

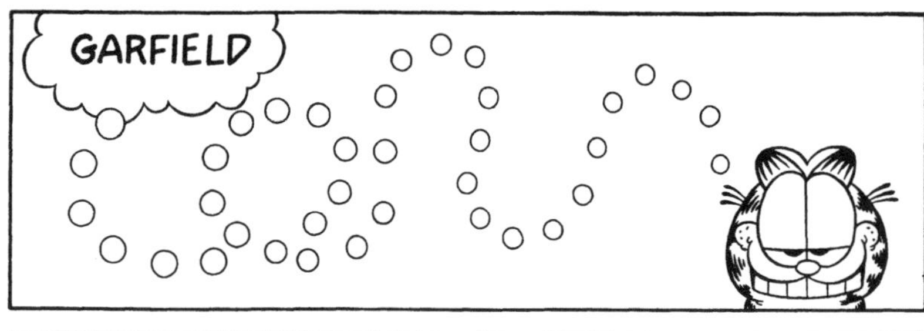
GARFIELD

ARAIGNÉE, TU AS BONNE MINE!
OUAIS...

ON A RETIRÉ MON CORSET DE PLÂTRE HIER
© 1997 PAWS, INC./Distributed by Universal Press Syndicate

ON A DÉFAIT MES POINTS DE SUTURE LA SEMAINE DERNIÈRE ET JE N'AI PLUS À PORTER UNE MINERVE AUTOUR DU COU

LE DOC PRÉTEND QUE JE SUIS GUÉRIE. LA SEULE CHOSE QUI N'EST PAS ENCORE REVENUE, C'EST...

SMACK!
JIM DAVIS 6·8

MA MÉMOIRE

LE CAFÉ EST LE BREUVAGE IDÉAL POUR QUI FAIT UN RÉGIME: FAIBLE EN CALORIES

SCHLURP

ÉLEVÉ EN OCTANE!
JIM DAVIS 6-9

GARFIELD, J'AI ACHETÉ DU CAFÉ AROMATISÉ. QU'EN DIS-TU?
JIM DAVIS 6-10

Phhht

LA VIE COMPORTE CERTAINS RISQUES...

JIM DAVIS 6-11

LE CAFÉ A GOBÉ MON BEIGNET

LE CAFÉ EST-IL CORSÉ À TON GOÛT ?
OUI, MAIS LE BEIGNET EST TROP FAIBLE
BURP

SNAP SNAP

AUTRE CHOSE, MAÎTRE?
PAS POUR L'INSTANT. MAIS SOIS PRÊT À RECEVOIR LES MIETTES
JIM DAVIS 6-12

ON ME DIT QUE **QUELQU'UN** AURA BIENTÔT 19 ANS

JIM DAVIS 6-13
TU TE L'ES ENCORE OUVERTE?
JUIN

TU NE VIEILLIS PAS, TU DEVIENS PLUS...

TU DEVIENS PLUS... EUH... EUH...

QU'EST-CE QUE JE DISAIS DONC?
JIM DAVIS 6-14

er Garfield,
on fan numéro uno,
antes

Z

GAAAAARRR-FIIIEEELLD...

VIENS PAR ICI, GARFIELD

AVANCE PAR IIICIIII...
JIM DAVIS 6-15

APPROCHE-TOI DE LA LUMIÈRE, GARFIELD...

MARCHE VERS LA LUMIÈRE...

SORS DE LÀ!
© 1997 PAWS, INC./Distributed by Universal Press Syndicate

JE ME SENS VIEUX, SOURIS
QUEL ÂGE AS-TU?

J'AURAI BIENTÔT 19 ANS
OUAH!

EUH... JE VEUX DIRE... VRAIMENT?
JIM DAVIS 6-16

TAP
TAP
TAP

HI
HI
HI
ATTENDS VOIR TON PROCHAIN ANNIVERSAIRE!
JIM DAVIS 6-17

GARFIELD, J'AI FAIT LE CALCUL...

SI JE COMPTE EN MOYENNE TES 18 HEURES DE SOMMEIL QUOTIDIEN MULTIPLIÉ PAR TON ÂGE, TU AS DORMI PENDANT 14 ANS ET TROIS MOIS

LES PLUS BELLES ANNÉES DE MA VIE!

FIOU!

EST-CE QU'IL FAIT CHAUD ICI OU EST-CE MOI QUI...

BON ANNIVERSAIRE!
C'EST BIEN MOI!

JE L'AI INVITÉE À UN GRAND DÎNER, CE SOIR
© 1997 PAWS. INC./Distributed by Universal Press Syndicate

JE NE REGARDERAI PAS À LA DÉPENSE

CE SOIR, PAS QUESTION DE SERVICE À L'AUTO!
JE NE TE RECONNAIS PLUS, MONSIEUR NEZ-EN-L'AIR
JIM DAVIS 6-20

HENRIETTE, SI JAMAIS TU ME QUITTAIS, JE ME PENDRAIS PAR LES RACINES!
JIM DAVIS 6-21

MIAM

© 1997 PAWS. INC./Distributed by Universal Press Syndicate
AI-JE DIT «LES RACINES»?

JON ARBUCKLE
19
PAYEZ À L'ORDRE DE
GARFIEL
LA SOMME DE
DOLLA
POUR

MMMMM

AHHHHHHHHH

RIEN N'EST PLUS AGRÉABLE QUE DE DORMIR DANS L'HERBE BIEN FRAÎCHE PAR UN BEAU SOIR D'ÉTÉ!

GARFIELD, L'HEURE DU DODO!
ZUT!
JIM DAVIS 6-22

© 1987 PAWS, INC./Distributed by Universal Press Syndicate

REMETS ÇA OÙ TU L'AS PRIS!

TU N'AS RIEN FAIT DE LA JOURNÉE QUI RESSEMBLE VAGUEMENT À UN TRAVAIL UTILE, N'EST-CE PAS?

LE DÎNER ÉTAIT PLUTÔT DIFFICILE À MÂCHER
JIM DAVIS 6·23

JIM DAVIS 6·24

ODIE

IL NE BOIT PAS.
IL ÉCLABOUSSE

Z
Z
JPM DAVPS 6-25

PAPA, LES CHAPONS SE NOIENT!
© 1997 PAWS, INC./Distributed by Universal Press Syndicate

Z
UN CAUCHEMAR FERMIER RÉCURRENT

SAIS-TU CE QUI EST DRÔLE?
JPM DAVPS 6-26
© 1997 PAWS, INC./Distributed by Universal Press Syndicate

MOI NON PLUS
UN RARE MOMENT DE CANDEUR

PUIS-JE PARLER AU MAÎTRE DE MAISON?

QU'ENTENDEZ-VOUS PAR MAÎTRE?
JIM DAVIS 6-27

ES-TU SÛR QU'IL S'AGISSE DE LA BONNE QUANTITÉ DE PIMENT ROUGE À AJOUTER À CE PLAT?
ABSOLUMENT!

FOUF!
JIM DAVIS 6-28

À LA POUBELLE À PRÉSENT ET COMMANDE UNE PIZZA!

GARFIEL

GARE
AU
CHIEN
JIM DAVIS 6-29

SÉRIEUSEMENT CE CHIEN EST DANGEREUX!
© 1997 PAWS, INC./Distributed by Universal Press Syndicate

D'ACCORD! D'ACCORD! JE N'AI PAS DE CHIEN!

JE VOULAIS UN CHIEN MAIS «NON, ÇA SALIT TROP!» A DIT MA MÈRE

JE VAIS MONTRER À MA MÈRE! JE VAIS MONTRER À TOUS!!!

GARE AU TYPE COSTUMÉ EN CHIEN

TU AS VU CETTE JOLIE FEMME?

ELLE M'A SOURI
© 1997 PAWS, INC./Distributed by Universal Press Syndicate
JIM DAVIS
6-30

AVANT OU APRÈS T'AVOIR MONTRÉ DU DOIGT ET RICANÉ?

LES FILLES AIMENT LES INTELLOS
© 1997 PAWS, INC./Distributed by Universal Press Syndicate

AUSSI, JE PARFAIS MA CULTURE LITTÉRAIRE

«MARIO CHAPDELAINE A RENCONTRÉ MLLE BOVARY AU CINÉ-PARC...»
IL LIT UN ALBUM À COLORIER
JIM DAVIS 7-1

SALUT MA JOLIE NANA, CHA-NA-NA!
JIM DAVIS 7-2

DITES DONC? ÊTES-VOUS ODIEUX OU SIMPLEMENT IDIOT?

JE VOUS RÉSERVE LE PLAISIR DE LE DÉCOUVRIR
LÀ, NOUS SOMMES IDIOTS

AINSI, SARAH, MA PERSONNALITÉ T'INDIFFÈRE?
JIM DAVIS 7-3

EH BIEN, C'EST TOI LE DINDON DE LA FARCE!

JE N'AI PAS DE PERSONNALITÉ!
UN BON POINT POUR LUI

JIM DAVIS 7-4

CROYEZ-VOUS AU COUP DE FOUDRE?

J'AI UNE BRIQUE DANS MON SAC
DOIT S'AGIR D'UN CODE

EUF...

GARFIELD, DIS-MOI POURQUOI J'EXISTE?

POUR QUE TES PROCHES SE SENTENT SUPÉRIEURS?
JIM DAVIS 7-5

GARF
IELD

AHHHH

AHHHH
JIM DAVIS 7-6

© 1997 PAWS, INC./Distributed by Universal Press Syndicate

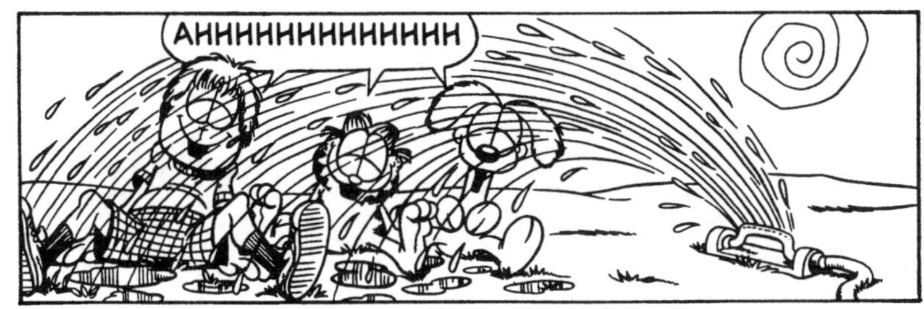
AHHHHHHHHHHHHH

VOYEZ LE CHAT PARESSEUX
JIM DAVIS 7-7

VOYEZ LE CHAT PARESSEUX QUI DORT SUR LA ROUTE
© 1997 PAWS, INC./Distributed by Universal Press Syndicate

VOYEZ LE ROULEAU COMPRESSEUR...
CHAT, RÉVEILLE-TOI!

HÉ! CE N'EST PAS DE L'EAU...
© 1997 PAWS, INC./Distributed by Universal Press Syndicate

C'EST DU BOUILLON DE POULET!

MON POTAGE À L'HIRONDELLE? VIENT DE S'ENVOLER!
JIM DAVIS 7-8

J'ENSEIGNE À ODIE COMMENT DEVENIR UN CHIEN DE GARDE

QUE FERAS-TU SI UN CAMBRIOLEUR PÉNÈTRE DANS LA MAISON?

BON RÉFLEXE! TU M'OFFRES UN SANDWICH AU JAMBON!
JIM DAVIS 7-9

J'AI MON BALLON DE PLAGE, MES PALMES, MA PLANCHE À VOILE
JIM DAVIS 7-10

AÏE!

JE VAIS CHERCHER TON MAILLOT

CETTE LOTION EST CENSÉE PRÉVENIR LES COUPS DE SOLEIL
© 1997 PAWS, INC./Distributed by Universal Press Syndicate

TU EN VEUX, GARFIELD?
NON, PAS BESOIN

MAIS DEUX TROUS VIS-À-VIS LES YEUX SERAIENT APPRÉCIÉS
JIM DAVIS 7-11

QU'EN DIS-TU GARFIELD?
JIM DAVIS 7-12

TU N'INTERROGES PAS LA BONNE PERSONNE, JON
© 1997 PAWS, INC./Distributed by Universal Press Syndicate

POUR UN CHAT, UN CHÂTEAU DE SABLE N'EST RIEN DE PLUS QU'UNE LITIÈRE AVEC DES TOURELLES

LOTION

QUELLE BELLE JOURNÉE!
JE DÉTESTE ALLER À LA PLAGE AVEC JON

CHAUD! CHAUD! CHAUD! CHAUD! CHAUD!

REQUINS!

CONTRE-COURANT
© 1997 PAWS, INC./Distributed by Universal Press Syndicate

RAZ-DE-MARÉE!

IL FAUT TOUJOURS QU'IL SOIT LE CENTRE D'ATTENTION
TORNADE!
JIM DAVIS 7-13

CE SERAIT DOMMAGE DE LE RÉVEILLER
Z

PAR CONTRE...
Z

ÇA NE DEVRAIT PAS ÊTRE TRISTE
Z
© 1997 PAWS, INC./Distributed by Universal Press Syndicate
JIM DAVIS 7-14

REGARDEZ-MOI CETTE SUPER NANA!
JIM DAVIS 7-15

© 1997 PAWS, INC./Distributed by Universal Press Syndicate
ET REGARDEZ AUSSI CET HERCULE QUI REVIENT AVEC DEUX GLACES!

EN FAIT, C'EST PLUTÔT RAFRAÎCHISSANT

O-DIE!
O-DIE!
JIM DAVIS 7-16

© 1997 PAWS, INC./Distributed by Universal Press Syndicate

GAR-
FIELD!

JE RENONCE. J'AI INVITÉ TOUTES LES FILLES SUR LA PLAGE
JIM DAVIS 7-17

ET TOUTES ONT DIT «NON»
© 1997 PAWS, INC./Distributed by Universal Press Syndicate

MÊME CELLE AU DOS VELU?
MÊME CELLE AU DOS VELU!

NOTRE SÉJOUR À LA MER EST UN CUISANT ÉCHEC

JE N'AI PAS RENCONTRÉ UNE SEULE FILLE
TAP TAP
NE T'EN FAIS PAS...

OUILLE
T'AURAS TOUJOURS TON COUP DE SOLEIL POUR TE TENIR AU CHAUD

BEURK! UN POISSON CREVÉ!

UN POISSON MORT, FÉTIDE ET DÉGOÛTANT...

QUELLE EST CETTE ODEUR?

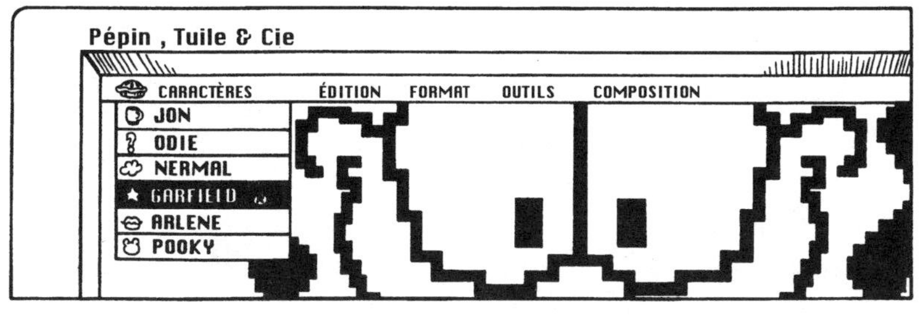
Pépin , Tuile & Cie
CARACTÈRES
ÉDITION
FORMAT
OUTILS
COMPOSITION
JON
ODIE
NERMAL
GARFIELD
ARLENE
POOKY

GARFIELD

...5-4-3-2...
GARFIELD
JIM DAVIS 7-20

TCHOU TCHOU
TCHOU TCHOU
TCHOU TCHOU

MIAM!

BURP

TCHOU TCHOU
TCHOU TCHOU
TCHOU TCHOU
GARFIELD

LE TRAIN DE 17H05
EST TOUJOURS
À L'HEURE
GARFIELD
© 1997 PAWS, INC./Distributed by Universal Press Syndicate

SAUVE QUI PEUT!

UN GLACIER VIENT DANS NOTRE DIRECTION!

IL SERA ICI DANS 40 MILLIONS D'ANNÉES!
SORS DU RÉFRIGÉRATEUR, GARFIELD!
JIM DAVIS 7-21

ODIE ET MOI PARTONS EN PROMENADE

CIAO!

ET NE CHANGE PLUS LES SERRURES!
BLÂME ENCORE LE CHAT!
JIM DAVIS 7-22

LA NATURE EST EXALTANTE, HEIN GARFIELD?
JIM DAVIS 7-23
© 1997 PAWS, INC./Distributed by Universal Press Syndicate
LA NATURE EST ENNUYEUSE
TU FIXES LE PAPIER PEINT
ALORS TON PAPIER PEINT EST ENNUYEUX

JE SUIS DE MAUVAISE HUMEUR

© 1997 PAWS, INC. Distributed by Universal Press Syndicate

RELATIVEMENT PARLANT
JIM DAVIS 7-24

VOIS GARFIELD! J'AI FAIT UNE SCULPTURE AVEC DU FROMAGE

DU BEAU TRAVAIL!
© 1997 PAWS, INC. Distributed by Universal Press Syndicate

ÉSOTÉRIQUE MAIS PIQUANT!
JIM DAVIS 7-25

J'ADORE LA NUIT! JE SENS LES CRÉATURES DE LA FORÊT TERRIFIÉES À MA SEULE VUE

JIM DAVIS 7-26
© 1997 PAWS, INC./Distributed by Universal Press Syndicate

JE DÉTESTE LA NUIT!

GA
RF
IE
LD
®

DRING
DRING

DRING
DRING
CLIC

ICI JON ARBUCKLE. LAISSEZ VOTRE NOM ET VOTRE MESSAGE AU SON DU TIMBRE. BIIIIIIIIIIP

ALLÔ JON, C'EST TAMI, LA MENEUSE DE CLAQUE PROFESSIONNELLE QUE TU AS RENCONTRÉE À LA PIZZERIA...

JE PENSE SANS CESSE À TOI! TÉLÉPHONE-MOI. MON NUMÉRO EST...

CLIC
CLIC
RIIIIIIIIP
STOMP

J'ARRIVE PAS À CROIRE QU'IL A BOUFFÉ DE LA PIZZA SANS MOI!
JIM DAVIS 7-27

JE SENS MON INSTINCT PRIMITIF QUI REMONTE À LA SURFACE
JIM DAVIS 7-28

JE DOIS RETOURNER À MES LOINTAINES RACINES SAUVAGES

COMMANDE-MOI UN TAXI!

BOU!

LES CHATS SONT CENSÉS ÊTRE TRÈS NERVEUX
DONNE-MOI DU TEMPS. C'EST SEULEMENT MA DEUXIÈME TASSE
JIM DAVIS 7-29

ICI MINET, ICI!

BON MINET!

OUAH! UNE SURPRISE POUR LA FIN
JIM DAVIS 7-30

DES ÉTUDES RÉVÈLENT QUE LES CHATS N'ATTERRISSENT PAS TOUJOURS SUR LEURS PATTES
JIM DAVIS 7-31

TU BOITES ENCORE, JON?
FICHE-MOI LA PAIX

J'ATTERRIS SUR LES PATTES DES AUTRES

ON PARLE ICI D'UN CHAT QUI A SAUVÉ DES GENS D'UN IMMEUBLE EN FLAMMES

JE PARIE QUE TU NE POURRAIS PAS
BIEN SÛR QUE SI

DONNE-MOI DES ALLUMETTES!
JIM DAVIS 8-1

SNIF
SNIF

NON MAIS, ÇA SENT LE THON?

ON FAIT DU PARFUM POUR CHAT, À PRÉSENT
JIM DAVIS 8-2

G A R F I E L D

IL VA LE DIRE

IL VA FINIR
PAR LE DIRE

IL NE S'APPELLERAIT PAS
JON S'IL NE LE DISAIT PAS

4...3...2...1...
JIM DAVIS 8-3

COMME CE TRAIN EST LONG!
GRRR!

DEUX BEIGNETS VISIBLES POUR MOI

ET DEUX BEIGNETS INVISIBLES POUR TOI
JIM DAVIS 8·4

DONNE-M'EN UN!
NE SOIS PAS SI GOURMAND!

DÉSORMAIS, JE CHOISIRAI NOTRE PASSE-TEMPS
JIM DAVIS 8·5

VOICI CE QUI RESTE DU CANAPÉ
JIM DAVIS 8-6

© 1997 PAWS, INC./Distributed by Universal Press Syndicate

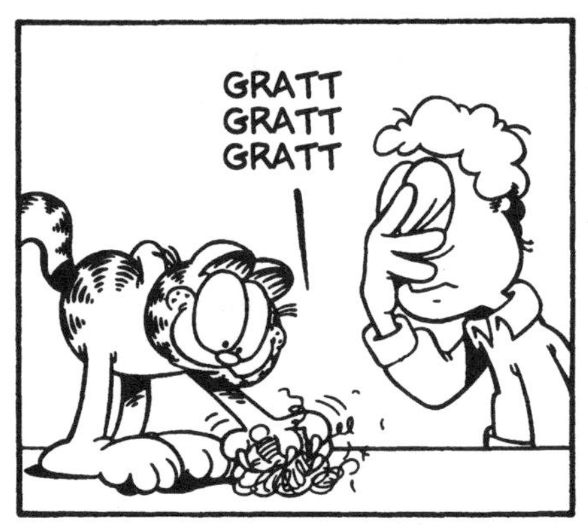
GRATT
GRATT
GRATT

J'ESPÈRE QUE TU APPRÉCIES LE MAL QUE JE ME DONNE À PRÉPARER LES REPAS

© 1997 PAWS, INC./Distributed by Universal Press Syndicate
OUILLE!

LE SAC DE CROUSTILLES TE FAIT ENCORE DES ENNUIS?
JE ME SUIS COUPÉ AVEC LE FIL DU PAPIER
JIM DAVIS 8-7

HÉLÈNE M'INTERDIT DE VENIR À SA SAUTERIE, GARFIELD
JIM DAVIS 8-8
© 1997 PAWS, INC./Distributed by Universal Press Syndicate

J'EN SUIS SI TRISTE

J'AI AU MOINS UN AMI POUR ME RÉCONFORTER
J'AIMERAIS BIEN, MAIS JE SUIS INVITÉ À UNE PETITE SAUTERIE

Z
RRINNG!
© 1997 PAWS, INC./Distributed by Universal Press Syndicate

Z
RRRRRIIINNG

Z
Z
JIM DAVIS 8-9

OUF!

GARFIELD

FIELD
GOOOSH

TCHIC
TCHAC
TCHAC
TCHAC

PSSSSHHHHHT!

LE CHATON
A CHAUD?
JPM DAVIS 8-10

© 1997 PAWS, INC./Distributed by Universal Press Syndicate
PLUS MOYEN
DE RIRE ICI

VOILÀ DES MILLIONS D'ANNÉES, LES DINOSAURES ÉTAIENT ROIS SUR TERRE

MINUTE!
© 1997 PAWS, INC./Distributed by Universal Press Syndicate

IL NE SERAIT PAS QUESTION DE LA DERNIÈRE FOIS QUE TU AS EU UN RENDEZ-VOUS GALANT?
JIM DAVIS 8-11

LORI, QUE DIRIEZ-VOUS DE DÎNER AVEC MOI?
JIM DAVIS 8-12

DANS CE CAS, LE DÉJEUNER? LE BRUNCH? LE PETIT DÉJEUNER?
© 1997 PAWS, INC./Distributed by Universal Press Syndicate

QUE DIRIEZ-VOUS SI JE VENAIS CHEZ VOUS EN BAGNOLE ET QUE JE LANÇAIS UNE QUICHE SUR VOTRE PERRON?
PRENDS GARDE DE NE PAS TROP RAMPER, JON

HÉLÈNE, SI VOUS REFUSEZ DE M'ACCOMPAGNER, JE MOURRAI
JIM DAVIS 8-13

CE N'EST QU'UNE FAÇON DE PARLER, BIEN ENTENDU
© 1997 PAWS, INC./Distributed by Universal Press Syndicate

NON, JE NE VOUS DONNERAI PAS MON ORDINATEUR
PUIS-JE AVOIR LA TÉLÉ?

PLUS QU'UNE CHOSE À ACCOMPLIR ET JE SERAI PRÊT À ME RENDRE À CE RENDEZ-VOUS GALANT

BOP BOP BIP BOP BIP BOP BIP BIP
© 1997 PAWS, INC. Distributed by Universal Press Syndicate

ALLÔ SHEILA? DITES, QUE FAITES-VOUS CE SOIR?
PATHÉTIQUE!
JIM DAVIS 8-14

LES NANAS NE RETOURNENT PAS MES APPELS, GARFIELD

AUCUNE N'A VOULU SORTIR AVEC MOI DEPUIS DES MOIS

JE DOIS LES INTIMIDER
L'UNIVERS DE JON S'OUVRE À NOUS
JIM DAVIS 8-15

ALLÔ SUZIE, ICI JON, UN AMI NOUS A ORGANISÉ UN RENDEZ-VOUS
JIM DAVIS 8-16

OÙ AIMERIEZ-VOUS DÎNER CE SOIR?

VOUS AVEZ UNE ENVIE DE VIANDE CRUE?
ENFIN, UNE VRAIE FEMME!

GARFIELD

JIM DAVIS 8-17

!

© 1997 PAWS, INC./Distributed by Universal Press Syndicate

JE VAIS CACHER CE GÂTEAU POUR ÉVITER LA TENTATION

JIM DAVIS 8·18
LAISSE-MOI FAIRE!

LA TENTATION A DISPARU!

FOUS LE CAMP!

ET RESTES-Y!
JIM DAVIS 8·19

JIM DAVIS 8-20
TAP
TAP
TAP

IL FAIT 30 DEGRÉS

ET NOUS N'AVONS PLUS DE SUCRE À GLACER!

JE M'ENNUIE
JIM DAVIS 8-21

UNE CHAUVE-SOURIS ME COLLE AUX CHEVEUX!

DIRE QUE D'AUTRES ONT TOUS LES PLAISIRS

DÉGOÛTANT!
JIM DAVIS 8-22

ELLE PARLAIT DE TOI
ELLE PARLAIT DE TOI

PEUT-ÊTRE PARLAIT-ELLE D'ELLE?
DISONS

Le chat est idiot
PSSST!
JIM DAVIS 8-23

CLAC
CLAC
CLAC
CLAC
Le chat est idiot
HUM

Le chat est idiot

GARFIELD

HELLO CHAT
HELLO TILLEUL

GRIMPE
J'HÉSITE. CETTE BRANCHE ME SEMBLE PEU SOLIDE

ESSAIE, TU VERRAS
BON, D'ACCORD
© 1997 PAWS, INC./Distributed by Universal Press Syndicate

CRAC

SPLAT!

AHHHHHH
TCHIC
TCHIC
TCHIC
TCHIC
TCHIC

CE QUE JE FERAIS POUR ME FAIRE GRATTER LE DOS
JIM DAVIS 8-24

JE SUIS COINCÉ!
© 1997 PAWS. INC./Distributed by Universal Press Syndicate

JE NE PEUX ME LEVER!

TOUT VA BIEN!
JIM DAVIS 8-25

QU'ADVIENDRAIT-IL SI J'ÉTAIS AUSSI PARESSEUX QUE TOI?
© 1997 PAWS. INC./Distributed by Universal Press Syndicate

JE N'AURAIS PAS À RÉPONDRE À TES QUESTIONS IDIOTES
JIM DAVIS 8-26

JIM DAVIS 8-27
© 1997 PAWS, INC./Distributed by Universal Press Syndicate
GARFIELD
JE MASTIQUERAI MOI-MÊME CE MATIN
NE TE SURMÈNE PAS
JE CROYAIS T'AVOIR DIT DE BOUGER UN PEU
© 1997 PAWS, INC./Distributed by Universal Press Syndicate
À L'ÉVIDENCE, JON NE TIENT PAS COMPTE DE LA ROTATION DE LA TERRE
JIM DAVIS 8-28

N'AS-TU DONC RIEN À FAIRE?
© 1997 PAWS, INC./Distributed by Universal Press Syndicate

JE SURVEILLE CETTE FISSURE AU PLAFOND
JIM DAVIS 8-29

À PRÉSENT, JE N'AI RIEN À FAIRE

TU DEVRAIS AVOIR HONTE, ESPÈCE DE GROS CHAT PARESSEUX, INUTILE ET PATHÉTIQUE!
JIM DAVIS 8-30
© 1997 PAWS, INC./Distributed by Universal Press Syndicate

AH-HA!

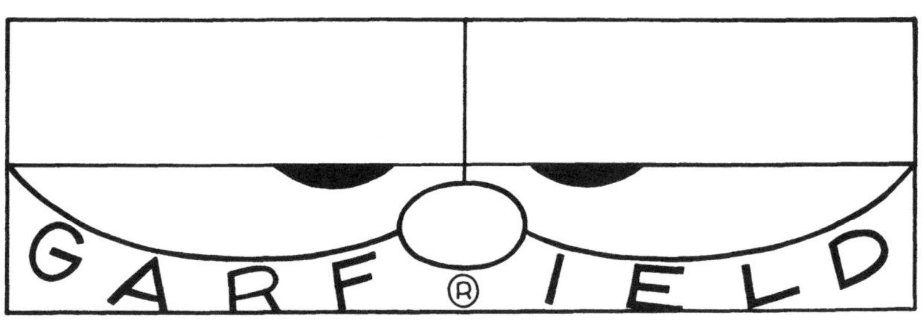
GARFIELD®

MAMAN M'A ARRANGÉ UN RENDEZ-VOUS AVEC UNE INCONNUE

ELLE PRÉTEND QU'ELLE A UN BON SENS DE L'HUMOUR
EXCUSE-MOI

BWAH-HA HAHA!
HA! HA! HA! HA!
HAR HAR HAR
© 1997 PAWS, INC./Distributed by Universal Press Syndicate

GAH-HA! HA!
OUAH HI! WAH
HA! HA! HA! *HOU HOU*
EUH EUH
JIM DAVIS 8-31

POURSUIS?

ON L'A COURONNÉE CHAMPIONNE AVALEUSE DE COUENNE DE PORC À LA FOIRE AGRICOLE
EXCUSE-MOI ENCORE

TU ES LE PLUS AFFREUX DES PETITS MINETS QUE J'AIE VUS

JIM DAVIS 9-1

VOUS ME TROUVEZ PETIT?

ODIE COMPLOTE

IL COMPLOTE DE SE FROTTER LES PATTES L'UNE CONTRE L'AUTRE
JIM DAVIS 9-2

GARFIELD A LE CHRONO EN MAIN

© 1997 PAWS, INC./Distributed by Universal Press Syndicate
ALORS?

O.K. VAS-Y!
CLIC
JIM DAVIS 9-3

JE VAIS JOINTOYER LES CARREAUX DE LA SALLE DE BAINS

© 1997 PAWS, INC./Distributed by Universal Press Syndicate

ELLE N'ÉTAIT PAS SI ÉPAISSE MA SAUCE!
JIM DAVIS 9-4

CROIS-TU QUE DES LUNETTES ME DONNERAIENT L'AIR PLUS INTELLIGENT?

VOYONS VOIR
© 1997 PAWS. INC./Distributed by Universal Press Syndicate

NON, TU SEMBLES ENCORE STUPIDE
JIM DAVIS 9-5

Ouah! Ouah!
Wouf!
Wouf!
Wouf!

© 1997 PAWS. INC./Distributed by Universal Press Syndicate
Ouah! Ouah!
Wouf!
YIP! YIP!
Wouf!
Wouf!

CHIEN DE GARDE EN VACANCES. PRIÈRE D'ABOYER VOUS-MÊME
GRR
JE ME SENS IDIOT
JIM DAVIS 9-6

GARFIELD®

SOLDE

APPEL À NOS CLIENTS
SOLDE

LE PROPRIÉTAIRE D'UNE BERLINE ROUGE...
SOLDE

..IMMATRICULÉE TB-312
SOLDE

...PRIÈRE DE RETOURNER À VOTRE AUTO. VOS PHARES SONT ALLUMÉS
SOLDE

...ENCORE UNE FOIS!
SORTIE
JIM DAVIS
9-7

DÉVERROUILLE CETTE PORTE!
EN ÉCHANGE DE QUOI?
© 1997 PAWS, INC./Distributed by Universal Press Syndicate

BIENVENUE À «INITIATION À LA PHYSIQUE QUANTIQUE»!
© 1997 PAWS. INC./Distributed by Universal Press Syndicate
CLIC CLIC CLIC
OUF! GARE!

FIOU! J'AI FAILLI VOIR UNE ÉMISSION VALABLE!
JIM DAVIS 9-8

BIENVENUE À «DUR D'OREILLE»
JIM DAVIS 9-9
© 1997 PAWS. INC./Distributed by Universal Press Syndicate

NOUS SOMMES GRANDES GUEULES, NOUS EN SOMMES FIERS...

NOUS SOMMES AUSSI MESQUINS!!

LE MOMENT EST VENU D'OUVRIR LA PORTE...
VOICI LA SCÈNE OÙ J'AI PEUR
CRIIIIIIII...
JE NE VEUX PAS VOIR!
AAAH! UN SOUFFLÉ PARFAIT!
OUF!
JIM DAVIS 9-10
NOUS VOYONS ICI UN LION DÉVORER UNE ANTILOPE
PLUTÔT DÉGUEU, HEIN?
TU PARLES! SANS NAPPE!
JIM DAVIS 9-11

MON PROCHAIN INVITÉ EST UN MONSTRE PRÉHISTORIQUE
VENU DU CENTRE DE LA TERRE POUR DÉTRUIRE TOKYO
IL A ÉCRIT UN LIVRE RELATANT SON EXPÉRIENCE
COMME DE RAISON!
JIM DAVIS 9-12
© 1997 PAWS, INC. Distributed by Universal Press Syndicate
JE VAIS FAIRE RÉPARER LA TÉLÉ, GARFIELD
JE NE PEUX PLUS SUPPORTER DE TE VOIR AINSI À LA FENÊTRE...
À CLIQUER SUR LA TÉLÉCOMMANDE
CHANGE! MAIS CHANGE DONC!
CLIC
CLIC
CLIC
CLIC
JIM DAVIS 9-13
© 1997 PAWS, INC. Distributed by Universal Press Syndicate

GARFIELD®

DE RETOUR APRÈS CETTE PAGE PUBLICITAIRE

OH LA LA!
FLOP

SLAM!
CHLIC
CHLIC
SEL TCHOC
SEL TCHOC
SEL TCHOC
GLOU
GLOU
GLOU
SLAM!
REGARDEZ-LE! QUELLE FORME! QUELLE PRÉCISION!

PATTA
PATTA
PATTA
PATTA
PATTA
PATTA
... QUELLE GRÂCE!
JIM DAVIS 9-14

PUIS IL S'AFFALE DANS LA DERNIÈRE LIGNE DROITE!
DE RETOUR À L'ÉMISSION EN COURS...

JE VIENS DE ME REMÉMORER DE BONS MOMENTS
BONS MOMENTS?

JE DEVAIS ÊTRE ENDORMI

TU ÉTAIS ENDORMI
HÉ!
JIM DAVIS 9-15

SI JE BOTTE ODIE COMME CECI...
POUF!

ET PUIS COMME CELA...
WHAM!

C'EST COMME SI JE NE L'AVAIS JAMAIS BOTTÉ!
JIM DAVIS 9-16

JE SENS UN STRESS
MOI AUSSI

BURRRRRRRRRRRRP

PLUS MAINTENANT
JIM DAVIS 9-17

JON, JE SUIS ALLÉ CHERCHER LE JOURNAL
JIM DAVIS 9-18

MAIS IL EST PLUTÔT LOURD

ALORS JE L'APPORTE PAR ÉTAPES

AVIS À TOUS! GARFIELD A ATTRAPÉ UNE SOURIS!
JIM DAVIS 9-19

IL S'AMUSE AVEC ELLE, ENSUITE IL VA LA BOUFFER!

TON DOS, ÇA VA MIEUX?
ENCORE QUELQUES MINUTES

GARFIELD, JE T'AI RÉSERVÉ QUELQUES TRAVAUX
HEUREUX D'AIDER

JIM DAVIS 9-20

UN DE CES JOURS

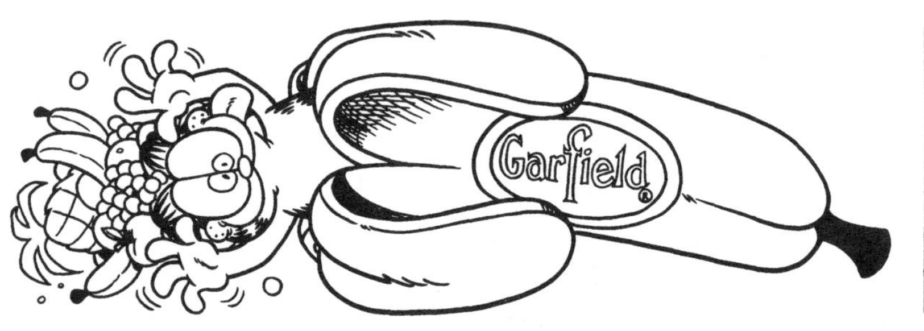
Garfield®

HUM!
BAS LES PATTES!

ARRIÈRE GROS-LARD!

EUF...
© 1997 PAWS, INC./Distributed by Universal Press Syndicate

JIM DAVIS
9-21

BIEN LE BON-JOUR!

ENFIN!

QUELQU'UN QUI M'AIME COMME JE SUIS!

NE CRAINS RIEN! JE NE PIQUE PAS!

CAR JE SUIS UNE PACIFISTE

À MES YEUX, T'AS L'AIR D'UNE ARAIGNÉE
JIM DAVIS 9-22

VOICI UN PETIT JEU APPELÉ «BOU-WHAM»

BOU!!
AÏE!

WHAM!
JIM DAVIS 9-23

COMMENT VONT MADAME ET LES ENFANTS?
TU LES AS ÉCRASÉS HIER!
© 1997 PAWS. INC./Distributed by Universal Press Syndicate

OH!... OUAIS

VOICI CE QUE L'ON APPELLE UN «MOMENT DE GÊNE»
JIM DAVIS 9-24

SAIS-TU CE QUE JE VIENS D'APPRENDRE?
© 1997 PAWS. INC./Distributed by Universal Press Syndicate

JIM DAVIS 9-25

LES ARAIGNÉES FONT DE PIÈTRES NAGEUSES

CHAT, VOICI MON AMIE ALIDA LA TIQUE
BONJOUR!

CHLIC
HÉ! MAIS QU'EST-CE QUE TU FAIS?

JIM DAVIS 9-26
ELLE ME DEVAIT DE L'ARGENT!

HUM... JE NE ME SOUVIENS PAS AVOIR ÉCRASÉ CES ARAIGNÉES...

EST-IL PARTI?
OUAIS

FRANK, T'ES UN GÉNIE!
À LA GUERRE COMME À LA GUERRE
JIM DAVIS 9-27

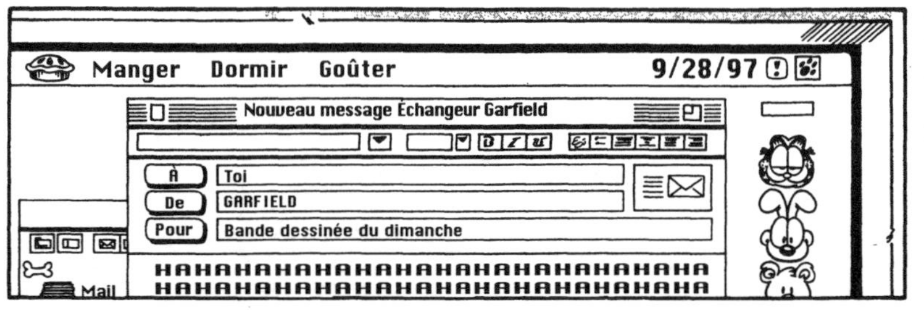

Manger Dormir Goûter
9/28/97
Nouveau message Échangeur Garfield
À
Toi
De
GARFIELD
Pour
Bande dessinée du dimanche
HAHAHAHAHAHAHAHAHAHAHAHAHAHAHAHA
HAHAHAHAHAHAHAHAHAHAHAHAHAHAHAHA
Mail

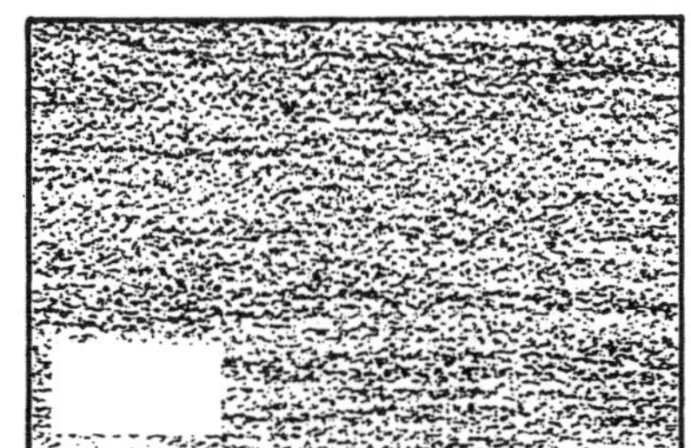

WHOP

AS-TU LE JOURNAL?
NON, C'EST LUI QUI M'A EU
JIM DAVIS 9·28

GARFIELD, J'AI CERNÉ TON PROBLÈME

ÇA CONCERNE TON ESTIME PERSONNELLE

T'EN AS TROP
«T'EN AS TROP, MONSIEUR»
JIM DAVIS 9-29

REGARDE DERRIÈRE TOI, ODIE!

FLAP
FLAP
FLAP
FLAP
FLAP

J'ADORE CE TOUTOU!
JIM DAVIS 9-30

JE CROIS L'AVOIR À PRÉSENT, GARFIELD

OUI!
JIM DAVIS 10-1

ZUT!
IL TENTE DE VISSER UNE AMPOULE

TU PROJETTES DE ME MORDRE, NON?
JIM DAVIS 10-2

QU'EST-CE QUI TE FAIT DIRE ÇA?

T'AS MIS DE LA MOUTARDE SUR MA MAIN!
VOYONS ÇA DE PLUS PRÈS

J'ESPÈRE QUE TU N'AS PAS MANGÉ LE PAIN DE VIANDE, GARFIELD

IL TRAÎNE AU FRIGO DEPUIS SIX MOIS

QUICONQUE EN MANGE N'A PLUS QUE CINQ MINUTES À VIVRE
ALORS, JUSTE LE TEMPS D'UN DESSERT
JIM DAVIS 10-3

EUF

POURQUOI NE PAS FAIRE MONTRE D'ENTHOUSIASME?

EUF!
JIM DAVIS 10-4

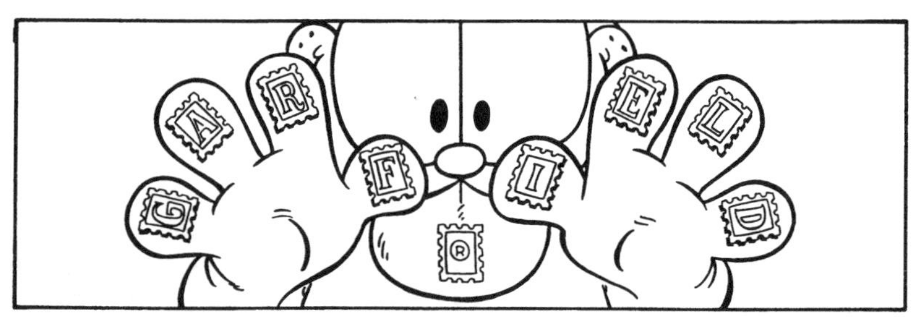
GARFIELD®

TAP
TAP
TAP
GARE AU CHIEN

NAVRÉ, MAIS JE NE PEUX ABOYER AUJOURD'HUI
POURQUOI PAS?
JIM DAVIS 10-5

J'AI MAL À LA GORGE
PAS DE PROBLÈME!

MAMAN A UN REMÈDE QUI TE FERA ABOYER EN MOINS DE DEUX!
VRAIMENT?

D'ABORD, UN DRAP DE BAIN QUE L'ON IMBIBE D'EAU GLACÉE À L'AIDE DU BOYAU... PUIS

SCHLAPP!
© 1997 PAWS, INC./Distributed by Universal Press Syndicate

Wouf! Ouah!
Ouah!
Wouf!
Wouf!
Wouf!
CHÈRE MAMAN!

GARFIELD, JE VAIS CONSACRER UN MOMENT À RÉFLÉCHIR À MON EXISTENCE

FLÛTE! CE FUT BREF!
COMME FAIRE DE LA PLONGÉE DANS UN VERRE D'EAU
JIM DAVIS 10-6

J'ÉTOUFFE!

JE TRÉPASSE!

PROUF!
TU DEVRAIS REVENIR AUX FAUSSES CRAVATES, JON
JIM DAVIS 10-7

JE VAIS ÉTABLIR UN RECORD, GARFIELD

TROIS CENTS JOURS CONSÉCUTIFS SANS PRONONCER LE MOT «HARICOT»!

ZUT!
OÙ PEUT-ON S'ACHETER UNE RAISON D'EXISTER?
JIM DAVIS 10-8

L'HEURE EST AUX RÉJOUISSANCES!

C'EST L'ANNIVERSAIRE DE RENALDO SMIT, LE PÈRE DE LA PHILATÉLIE!

LE CHOCOLAT CHAUD VA COULER CE SOIR!
J'ÉPROUVE UNE FORTE ENVIE DE PERFORER QUELQUE CHOSE
JIM DAVIS 10-9

LA VIE EST INJUSTE, GARFIELD
SOYONS RÉALISTES
JIM DAVIS
© 1997 PAWS, INC :/Distributed by Universal Press Syndicate
TU NE PEUX PAS TOUJOURS OBTENIR CE QUE TU DÉSIRES

PAR CONTRE, MOI JE PEUX!
10-10

JE DOIS CHANGER MON IMAGE
© 1997 PAWS, INC :/Distributed by Universal Press Syndicate

TU AS UNE IMAGE?
JIM DAVIS 10-11

GARFIELD

ZUT!

CLIC
CLIC
CLIC
CLIC
CLIC

ZUT!

CLIC
CLIC
CLI-

ZUT!

CLI-

ARRRGGHHH
PERSONNE NE PERD AUX JEUX ÉLECTRONIQUES PLUS VITE QUE JON
JIM DAVIS 10-12

UN MONDE EXCITANT T'ATTEND À L'EXTÉRIEUR!
IL DOIT Y AVOIR DE LA BOUFFE SUR LA PELOUSE
JIM DAVIS 10-13
HOP LÀ!
HI! HI! HI!
HI! HI! HI!
JIM DAVIS 10-14

CE PANTALON EST FORT INCONFORTABLE
JIM DAVIS 10-15

PEUT-ÊTRE PARCE QU'IL S'AGIT D'UNE CHEMISE

MIAM MIUM
MIUM MIAM
GARFIELD

QUAND JE TE REGARDE MANGER, JE PERDS L'APPÉTIT
GARFI

JIM DAVIS 10-16
J'AI TROUVÉ UN FILON
GAR

JE N'Y SUIS POUR RIEN, JON!

PROUF
LA SYNCHRO, GARFIELD, LA SYNCHRO!

JE ME DEMANDE SI CE CAFÉ EST BON

JE VAIS FAIRE LE TEST DU TREMPAGE

IL EST BOOOON!

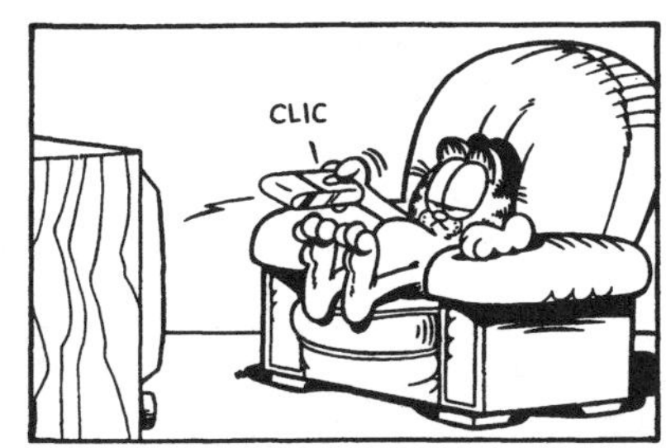
CLIC

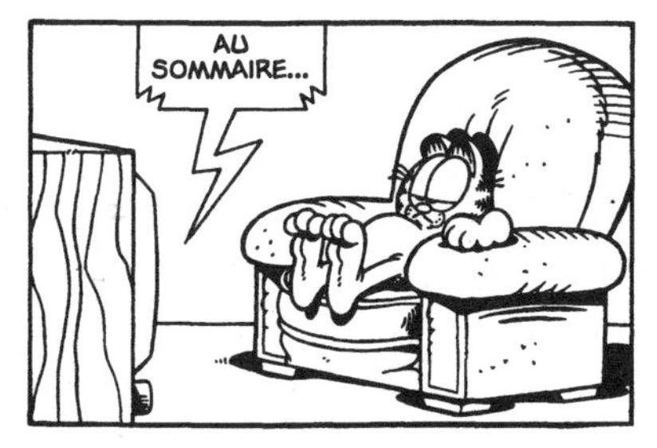
AU SOMMAIRE...

DES INSECTES GÉANTS ONT ENVAHI UN POSTE DE TÉLÉ!

© 1997 PAWS, INC./Distributed by Universal Press Syndicate
DES INSECTES GÉANTS QUI PRÉSENTENT LE JOURNAL PARLÉ

TCHAC! TCHAC! TCHAC! TCHAC! TCHAC! TCHAC!

DES INSECTES GÉANTS QUI SE RIENT BIEN DES VAINES TENTATIVES EN VUE DE LES ÉCRASER AVEC UN MAGAZINE... HA! HA! HA! HAAA!

TOUTE RÉSISTANCE EST INUTILE! HUMAINS, SOUMETTEZ-VOUS!
ALLEZ! LES NOUVELLES DU SPORT!
JIM DAVIS 10-19

À L'AIDE!
À L'AIDE!
IL SEMBLE QUE QUELQU'UN A BESOIN DE SUPER CHIEN-CHIEN!
WHAM!
IL S'EST ÉCRASÉ SUR UNE BORNE FONTAINE
JIM DAVIS 10-20
© 1997 PAWS, INC./Distributed by Universal Press Syndicate
JON M'A DEMANDÉ DE VISIONNER CETTE BANDE
CLIC
HELLO! EUH, ICI JON ARBUCKLE QUI SOUHAITE VOUS PRÉSENTER LA VIDÉO DE CONDITIONNEMENT PHYSIQUE DE GARFIELD!
Z
DRÔLE COMME UN SINGE, CE JON ARBUCKLE!
JIM DAVIS 10-21
© 1997 PAWS, INC./Distribuied by Universal Press Syndicate

JIM DAVIS 10-22
© 1997 PAWS, INC./Distributed by Universal Press Syndicate
POURQUOI ESSAIES-TU DE ZAPPER AVEC UNE TABLETTE DE CHOCOLAT?
BURP
HO OH!
VOICI LE VIEUX PARESSEUX QUI AVANCE TRÈS LENTEMENT SUR SES TROIS ORTEILS...
© 1997 PAWS, INC./Distributed by Universal Press Syndicate
ET LUI, QUI EST-IL? C'EST MONSIEUR ANACONDA!
JIM DAVIS 10-23
AÏE! ÇA N'A PAS PRIS DE TEMPS
JE PARIE QU'EN PLUS IL ÉTAIT SAVOUREUX

WOUF! WOUF!
COMME UN VRAI CHIEN
EUH... WOUF?
IL OUBLIE SES RÉPLIQUES
JIM DAVIS 10-24
JE ME DEMANDE SI UNE VISITE DE MON COPAIN BUBBA, MA CHAUSSETTE MARIONNETTE, NE METTRAIT PAS UN PEU D'AMBIANCE
IL EST ARRIVÉ PEU DE CHOSES À BUBBA
JIM DAVIS 10-25

GARFIELD®

PIC
PIC

PIC
PIC

JIM DAVIS 10-26

EN QUOI
ES-TU DÉGUISÉ?

EN CHAT QUI PORTE DES LUNETTES NOIRES, AVEC UNE FAUSSE FLÈCHE LUI TRANSPERÇANT LA TÊTE, QUI TIENT UN POULET DE CAOUTCHOUC, EINSTEIN!

C'EST DORIS BLASKO, MA PETITE AMIE À L'ÉCOLE
ALBUM

DORIS ÉTAIT TRÈS MÛRE POUR SON ÂGE
ALBUM

ELLE FUT LA PREMIÈRE DE LA CLASSE À AVOIR DES POILS AU VISAGE
RAREMENT A-T-ON VU UNE FEMME PORTER UNE MOUSTACHE AVEC AUTANT DE PANACHE
ALBUM

HÉ! OÙ EST LE RESTE DE MA LESSIVE?
JIM DAVIS 10-29

DU LINGE SALE PORTÉ DISPARU?

C'EST UNE MISSION POUR... LA CHAUSSETTE MASQUÉE!

TU PORTES MES CHAUSSETTES!
C'EST POURQUOI ON M'APPELLE «LA CHAUSSETTE MASQUÉE»
JIM DAVIS 10-30

C'EST PIRE QUE TOUT!
PAS VRAIMENT...

VOICI MON ACOLYTE «NAUSÉE»!

Y A-T-IL UN CRIMINEL À COMBATTRE PAR ICI?

NON?

TANT MIEUX! JE NE SUIS QU'UN CHAT AVEC UNE CHAUSSETTE SUR LA TÊTE
JIM DAVIS
10-31

ENFIN!

LA PREMIÈRE PUB DE NOËL
JIM DAVIS 11-1

Garfield

EUF

LES FEUILLENT TOMBENT ET BIENTÔT J'ATTRAPERAI DES FLOCONS DE NEIGE AVEC MA LANGUE
JIM DAVIS 11-2

!

ÉTONNANT!
© 1997 PAWS, INC./Distributed by Universal Press Syndicate

SUIS-JE DEVIN OUI OU M...?

PTUI!
PTUI!
PTUI!
PTUI!

GARFIELD, TON ESTOMAC DEVRAIT ÊTRE PLUS PETIT

ALORS TU DEVRAIS TE TENIR UN PEU PLUS LOIN
JIM DAVIS 11-3

C'ÉTAIT UN BEAU JOUR AU PAYS DES PÈSE-PERSONNES

SOUDAIN, LA FORÊT OÙ HABITAIENT LES PÈSE-PERSONNES DEVINT SILENCIEUSE

JE LE HAIS LORSQU'IL BAVARDE
UNE OMBRE ÉNORME S'ABATTIT SUR LA CONTRÉE...
JIM DAVIS 11-4

JE PENSE QUE TU ES TROP GROS
JIM DAVIS 11-5

REVIENS LORSQUE TU EN SERAS ABSOLUMENT SÛR

SALUT LE GROS!

...GROS-LARD GROS-GROS-LARDON. GROS-GROS-GROS-TAS DE LARD. GROS-LARD GROS-LARD, GROS LARDON, GROS, GROS, GROS...

GROS-LARD, GROS TAS DE LARD!
JE COMPTE LES JOURS AVANT QUE SES PILES SOIENT À PLAT
JIM DAVIS 11-6

CLIC

CLIC

NOUS VOICI AU FESTIVAL DES FROMAGES DE SAINT-PAULIN
UNE DIÈTE S'IMPOSE
JIM DAVIS 11-7

VOUS ÊTES GROS

SLAP
VOUS LE SEREZ DAVANTAGE APRÈS AVOIR AVALÉ CET ÉCLAIR
JIM DAVIS 11-8

garfield®

EUF...

JE SUIS DÉPRIMÉ...
© 1997 PAWS, INC./Distributed by Universal Press Syndicate

BZZZZ
BZZZZ
BZZZZ
JIM DAVIS 11-9

GRICHE GRICHE
GRICHE GRICHE

GRICHE GRICHE
GRICHE GRICHE

CRI
CRI
CRI
POUF
POUF
POUF

BIZARRE, JE ME SENS MIEUX!
JE FAIS CE QUE JE PEUX

JE HAIS CE RÉGIME
JIM DAVIS 11-10

© 1997 PAWS INC Distributed by Universal Press Syndicate

OUAH!
LE MARCHAND DE GLACES
www.garfield.com

VOICI UNE COLLATION DIÈTE! DES BRETZELS SANS SEL ET SANS GRAS!
JIM DAVIS 11-11
www.garfield.com

© 1997 PAWS INC Distributed by Universal Press Syndicate
MIAM MIAM MIAM

MIAM
MIAM
MIAM
MIAM
MIAM
MIAM
MIAM
MIAM
www.garfield.com

MIAM
MIAM
MIAM
MIAM
MIAM
MIAM
MIAM
MIAM

© 1997 PAWS, INC./Distributed by Universal Press Syndicate
D'ACCORD! TU PEUX GRIGNOTER AUTRE CHOSE QUE DU CÉLERI!
PUISQUE TU INSISTES
JIM DAVIS 11-12

ET CE RÉGIME, GARFIELD, ÇA VA?
JIM DAVIS 11-13
© 1997 PAWS, INC./Distributed by Universal Press Syndicate

www.garfield.com
ET QUE FONT MES GODASSES DANS CE CHAUDRON D'EAU BOUILLANTE?
ELLES S'ATTENDRISSENT

CE RÉGIME M'A DONNÉ DU MAL
JIM DAVIS 11·14
MAIS AU MOINS, CETTE FOIS, JE N'AI PAS EU D'HALLUCINATION
EXCUSEZ-MOI...
© 1997 PAWS, INC. Distributed by Universal Press Syndicate
PUIS-JE VOUS EMPRUNTER UNE TASSE DE SAUCE AUX ABATS?
NE TE RETOURNE PAS, GARFIELD, SURTOUT PAS!
www.garfield.com
VOTRE POIDS NE ME REGARDE PAS
www.garfield.com
GARFIELD...
© 1997 PAWS, INC. Distributed by Universal Press Syndicate
AS-TU TRAFIQUÉ LE PÈSE-PERSONNE?
CELA NE TE REGARDE PAS
JIM DAVIS 11-15

Garfield

GLOU

ET TON RÉGIME, GARFIELD?
ÇA VA, JON. MERCI

SNARF

GLOU

SCARF

GLOU

NOUS NE TRICHERIONS PAS, N'EST-CE PAS?
OÙ AS-TU PRIS UNE TELLE IDÉE?
JPM DAVIS 11-16

EST-CE QUE L'ON SE SOUVIENDRA DE MOI QUAND J'AURAI DISPARU?
BIEN ENTENDU

LES GENS DIRONT? «JE M'ENNUIE DE...»

COMMENT S'APPELAIT-IL DÉJÀ?
SNAP
SNAP
SNAP
JIM DAVIS 11-17

JIM DAVIS 11-18

PUMPA
PUMPA
PUMPA

LES GRIFFES SONT L'INSTRUMENT DU DIABLE

LES CÉRÉALES NE SONT PAS BONNES POUR LA SANTÉ

BIEN SÛR, ELLES SONT NUTRITIVES...

MAIS AVEZ-VOUS DÉJÀ TENTÉ DE DIGÉRER UN DÉCODEUR?
JIM DAVIS 11-19

HI-HA! HORS DE MON CHEMIN CHIEN-CHIEN!

SALUT MON VIEUX!

S'IL ÉTAIT UN INSECTE, JE L'ÉCRASERAIS
JIM DAVIS 11-20

HÉLÈNE, ICI JON
JIM DAVIS 11-21
© 1997 PAWS, INC./Distributed by Universal Press Syndicate

CLIC
www.garfield.com

INUTILE DE RAMPER HÉLÈNE! JE NE T'ACCOMPAGNERAI PAS
IL TENTE D'IMPRES-SIONNER UN CHAT

JIM DAVIS 11-22
www.garfield.com

© 1997 PAWS INC Distributed by Universal Press Syndicate
L'ENNUI SYNCHRONISÉ

GARFIELD®

ET SI JE M'AMUSAIS À ÉCRASER LES ARAIGNÉES, POUR CHANGER?

CHAT, JE TE PRÉVIENS? VAUT MIEUX NE PAS ME CHERCHER!
SINON, QU'ADVIENDRA-T-IL?

JE VAIS LE DIRE À MON FRÈRE!
BRRR! J'EN FRÉMIS D'AVANCE!

HÉ! ROGER! VIENS PAR ICI!

OUAIS?
CE GROS CHAT IDIOT DIT QU'IL VEUT M'ÉCRASER!

© 1997 PAWS, INC./Distributed by Universal Press Syndicate
www.garfield.com

PUIS-JE AVOIR TES CD?
JIM DAVIS 11-23

© 1997 PAWS, INC. Distributed by Universal Press Syndicate
www.garfield.com

IL Y A LONGTEMPS QUE JE T'AI VU CHASSER LA SOURIS
J'AI UN PLAN FORT INGÉNIEUX
D'ABORD, JE LUI INSUFFLE UN SENTIMENT DE SÉCURITÉ ET ENSUITE JE PLANIFIE DE N'ABSOLUMENT RIEN FAIRE
© 1997 PAWS. INC./Distributed by Universal Press Syndicate
www.garfield.com
TU FAIS UN PIÈTRE CHAT
JE SAIS
IL SAIT
© 1997 PAWS. INC /Distributed by Universal Press Syndicate
www.garfield.com

JON A CAPTURÉ DE JOLIES SOURIS GRÂCE À SA CAGE

CE N'EST PAS CE QUI M'AGACE

MAIS LES ENTENDRE FRAPPER LEURS GOBELETS D'ÉTAIN CONTRE LES BARREAUX...
JIM DAVIS 11-28

AUJOURD'HUI, LA SOURIS VA SAVOIR DE QUEL BOIS JE ME CHAUFFE
JIM DAVIS 11-29

PETITES NATURES, S'ABSTENIR DE REGARDER

HÉ! QUI CHANGE DE CHAÎNES?
CLIC
CLIC
CLIC

Garfield

GARFIELD, J'AI LA TÊTE COINCÉE DANS LA CORBEILLE...
© 1997 PAWS, INC./Distributed by Universal Press Syndicate

LES MAINS PRISES DANS DES POTS DE MARINADES...
www.garfield.com

ET MA DULCINÉE QUI SERA LÀ DANS UN INSTANT! QUE FAIRE?

NE BOUGE PLUS

DING DONG
JPM DAVIS 11-30

TOUT FINIT PAR S'ARRANGER

J'AI DRESSÉ UNE LISTE D'OBJECTIFS À ATTEINDRE

APPRENDRE À JONGLER...

ET ÊTRE ACCOMPAGNÉ D'UNE FILLE AU NOUVEL AN
AU COURS DE CE MILLÉNAIRE?
JIM DAVIS 12-1

RUNK-ITTA
JIM DAVIS 12-2

BRAP
BRAP

BRRRRR

QUESTIONS SUR LA NUTRITION, GARFIELD? QUELLE EST LA VITAMINE LA PLUS NÉCESSAIRE À TON ORGANISME?
LA GRAISSE
www.garfield.com

NOMME UN ALIMENT PLEIN D'ÉNERGIE
DE LA VIANDE QUI REMUE ENCORE
© 1997 PAWS. INC./Distributed by Universal Press Syndicate

QUEL EST LE PLUS IMPORTANT REPAS DE LA JOURNÉE?
LE GOÛTER DE 16 HEURES? CROUSTILLES ET TREMPETTE AUX ANCHOIS

www.garfield.com

25
© 1997 PAWS. INC./Distributed by Universal Press Syndicate

OUI GARFIELD. JE SAIS QUE NOËL APPROCHE

J'ÉCRIS AU PÈRE NOËL

QU'EST-CE QUE TU ES VIEUX JEU, MON BONHOMME!
www.garfield.com

JE LUI AI ÉCRIT PAR COURRIER ÉLECTRONIQUE
JIM DAVIS 12-5

HÉ ESTELLE!
JIM DAVIS 12-6

REGARDE LÀ-HAUT!

BEL EFFORT FRANKIE!
www.garfield.com

Garfield

GARFIELD, TU M'AIDES À RÉDIGER UNE LETTRE AU PÈRE NOËL?
CAUSE TOUJOURS...

COMME SI LE PÈRE NOËL LISAIT TOUTES LES LETTRES...

BING

© 1997 PAWS, INC./Distributed by Universal Press Syndicate

www.garfield.com

UN GRELOT DE TRAÎNEAU!

... ET UN POT D'HERBE AUX CHATS, ET UNE NOUVELLE GAMELLE, ET UN POTEAU À GRIFFER, ET...
JPM DAVIS 12-7

D'ORDINAIRE, MAMAN GLISSE QUELQUE CHOSE DANS MA CARTE DE NOËL

HOURRA! ELLE N'A PAS OUBLIÉ

DE LA PURÉE DE POMMES DE TERRE!
OH LA LA! LA MIENNE CONTIENT PEUT-ÊTRE LA SAUCE?!

HUM...

www.garfield.com

POSE TON DOIGT ICI POUR QUE JE PUISSE NOUER LE RUBAN
JIM DAVIS 12-10

MERCI

MERCI
RAPPORTE ÇA ICI!

NAN... NAN... NAN... PAS ÇA... NAN
FLIP FLIP
CATALOG
JIM DAVIS 12-11

EUF...

DUR DE LUI ACHETER QUELQUE CHOSE
CATALOG

COMMENT S'EST DÉROULÉE LA VISITE CHEZ LE PÈRE NOËL?
TRÈS BIEN
LE PÈRE NOËL ÉTAIT DE BONNE HUMEUR
CONNAIS-TU L'HISTOIRE À PROPOS DU LUTIN ET DU BROYEUR?
© 1997 PAWS. INC./Distributed by Universal Press Syndicate
JIM DAVIS 12-12
www.garfield.com

MIGNONS CES BISCUITS DE NOËL EN FORME DE CHIEN-CHIENS
© 1997 PAWS. INC. Distributed by Universal Press Syndicate

www.garfield.com
MINUTE! QUI A BOUFFÉ TOUTES LES TÊTES?
JIM DAVIS 12-13

JE CROIS QU'IL EST TEMPS QUE TU RENCONTRES UNE CHATTE, GARFIELD
JIM DAVIS
12-15

ET SI TU NE SAIS PAS BIEN QUOI FAIRE, TU N'AS QU'À ME REGARDER ALLER
C'EST DÉJÀ FAIT

UNE ALLUSION, UNE GIFLE. UNE SUGGESTION, UNE GIFLE. UNE APPROCHE, UNE GIFLE
© 1980 United Feature Syndicate, Inc.

JON DIT QUE CETTE LOTION APRÈS-RASAGE ATTIRE LES FEMMES
12-16
JIM DAVIS

GALOPE
GALOPE
GALOPE
GALOPE

IL YA ERREUR SUR L'ESPÈCE
© 1980 United Feature Syndicate, Inc.

NOURRIS-MOI ! NOURRIS-MOI ! NOURRIS-MOI !
OK ! OK !
JIM DAVIS

GARFIELD

© 1981 United Feature Syndicate, Inc.
Z
GARFIELD
1-5

LES CHATS FONT LA SIESTE N'IMPORTE OÙ, N'IMPORTE QUAND
JIM DAVIS
1-6

TOUT LE MONDE DEVRAIT AVOIR CETTE CHANCE

EXCEPTÉ LES PILOTES DE L'AIR, SI POSSIBLE
© 1981 United Feature Syndicate, Inc.

MES PIEDS ! OÙ SONT MES PIEDS ?
JIM DAVIS
2-9

PEUT-ÊTRE POURRAIS-JE ME PERMETTRE DE PERDRE UN KILO OU DEUX
© 1981 United Feature Syndicate, Inc.

GARFIELD, JE NE DIRAIS PAS QUE TU ES GROS
GARFIELD
JIM DAVIS

MAIS TU ES PLUS JOUFFLU QU'UN LUTTEUR SUMO
GARFIELD

GARFIELD
2-10
© 1981 United Feature Syndicate, Inc.

ROWR
GRRR
3-2

IAOUCH !
JIM DAVIS

UN CHAT NE DOIT PAS SORTIR SES GRIFFES QUAND IL EST ASSIS DESSUS
© 1981 United Feature Syndicate, Inc.

GRIFFES
3-3
JIM DAVIS

TOCH !

LA SEULE MANIÈRE DE MANGER DES OLIVES
© 1981 United Feature Syndicate, Inc.

POURQUOI A-T-ON MIS LES CHATS SUR LA TERRE ?
4-27
JIM DAVIS

EH BIEN, POUR FAIRE PLAISIR AUX GENS

© 1981 United Feature Syndicate, Inc.
ET POUR FAIRE LA VIE DURE AUX CHIENS
SMACK !

Y A RIEN COMME UN BON CAFÉ FUMANT ET UN JOURNAL POUR DÉBUTER UNE JOURNÉE
JIM DAVIS
4-28

CE SERAIT ENCORE MIEUX SI JE SAVAIS LIRE
© 1981 United Feature Syndicate, Inc.

CETTE SEMAINE, J'ENTREPRENDS LA RÉDACTION D'UN ROMAN. ON PRÉTEND QUE CHACUN PORTE UN LIVRE EN SOI
JIM DAVIS
3-10
© 1986 United Feature Syndicate, Inc.

JE PORTE PROBABLEMENT UNE LIBRAIRIE!

POUR ÉCRIRE, IL FAUT BOUGER ET VIVRE AU MAXIMUM
JIM DAVIS
3-11

JE VAIS COURSER LES TAUREAUX À PAMPELUNE!

PUIS J'ÉCRIRAI: «LA CHOSE LA PLUS STUPIDE QUE J'AI FAITE»
© 1986 United Feature Syndicate, Inc.

NOUS, ÉCRIVAINS, AVONS L'ÉTRANGE FACULTÉ DE NOUS OBSERVER D'UN POINT DE VUE OMNISCIENT
JIM DAVIS
3-12

«ALORS QUE LE MAGNIFIQUE CHAT CONTEMPLAIT LA FOLIE DU MONDE, IL ÉCLATA DE RIRE... HA! HA! HA!»

PUIS, IL TOMBA DE SA CHAISE!
© 1986 United Feature Syndicate,Inc.

CERTAINS RÉPÈTENT SANS CESSE QU'ILS PROJETTENT UN LIVRE
JIM DAVIS
3-13

ALORS QUE D'AUTRES PASSENT À L'ACTION

VOICI COMMENT JE VEUX PARAÎTRE SUR LA JAQUETTE DE MON ROMAN
© 1986 United Feature Syndicate,Inc.

VAS-Y! BOUFFE JON! EN TANT QU'ÉCRIVAIN, JE SOUHAITE T'OBSERVER

JE CROIS PLUTÔT QUE JE VAIS ÉCRIRE MON AUTOBIOGRAPHIE!
JIM DAVIS 3-14

JE DOIS SOUFFRIR POUR ÊTRE EN MESURE DE PONDRE UN CHEF-D'ŒUVRE

WHAM!

MERCI JON! JE ME SOUVIENDRAI DE TOI DANS MON DISCOURS D'ACCEPTATION DU PRIX NOBEL DE LITTÉRATURE
JIM DAVIS 3-15

© 1988 United Feature Syndicate, Inc.

ME VOICI!
VLAN!

CRASH!
CRASH!
CRASH!
AIE!
GARFIELD!
POURQUOI ME BLÂME-T-ON DU MOINDRE INCIDENT DANS CETTE MAISON?
JIM DAVIS 3-16

GARFIELD, TU RÔDES TOUTE LA NUIT ET TU RONFLES TOUT LE JOUR. DE PLUS, TU T'EMPIFFRES
JIM DAVIS

QU'AS-TU À DIRE POUR TA DÉFENSE?
© 1986 United Feature Syndicate, Inc.

ON NE VIT QUE NEUF FOIS, ALORS AUTANT EN PROFITER!
3-17

GARFIELD, IL FAUT TE REMETTRE AU RÉGIME
OUILLE!
JIM DAVIS

SAIS-TU LE MAL QU'UN RÉGIME PEUT ME FAIRE?
© 1986 United Feature Syndicate, Inc.

JE RISQUERAIS DE DEVENIR NORMAL!
3-18

JIM DAVIS

LES ANNONCEURS N'ONT PAS PERDU DE TEMPS
© 1986 United Feature Syndicate,Inc.

JE SUIS AU RÉGIME DEPUIS HIER ET DÉJÀ ON DIFFUSE DES COMMERCIAUX DE BOUFFE
3-19

JE DOIS ME DÉFOULER SUR QUELQU'UN; CE RÉGIME AGIT SUR MON HUMEUR
JIM DAVIS

TAP

© 1986 United Feature Syndicate,Inc.

ET ME PRIVE DE MES MOYENS!
3-20

GARFIELD, JE DOIS T'AVOUER QUE JE SUIS FIER DE TOI!
JON, JE DOIS T'AVOUER UNE CHOSE
JIM DAVIS
© 1986 United Feature Syndicate, Inc.

TU ES SENSASS D'AVOIR TENU TON RÉGIME TOUTE LA SEMAINE
ÉCOUTE BIEN, JON

CELA DÉMONTRE UNE VOLONTÉ DE FER
J'AI BOUFFÉ TES PANTOUFLES
3-21

TU DEVRAIS ÉVITER LES MÉLODRAMES QUAND TU FAIS UN RÉGIME, GARFIELD. TU DEVIENS TRÈS ÉMOTIF ET...
JIM DAVIS

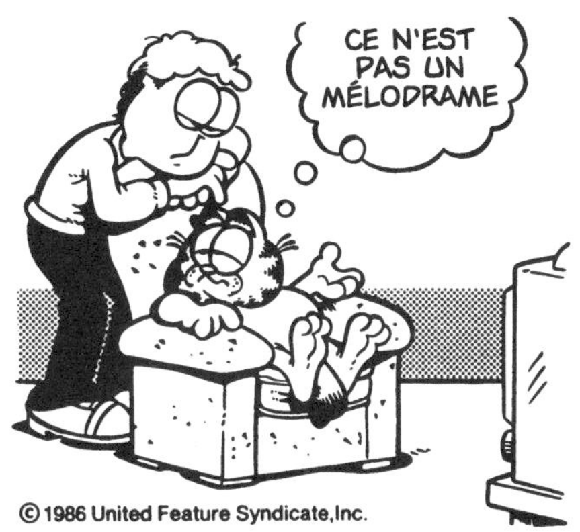
CE N'EST PAS UN MÉLODRAME
© 1986 United Feature Syndicate, Inc.

C'EST UNE PUB DE BOUFFE!
3-22

SLURP!

BEURK! CE CAFÉ EST TROP FAIBLE!

ÇA PAR EXEMPLE!
SLOSH

ODIE

JIM DAVIS 3.23
ODIE

ODIE

SLURP!

BEAUCOUP MIEUX!

POURQUOI DOIS-JE TOUJOURS FAIRE UN RÉGIME?
3-24
JIM DAVIS

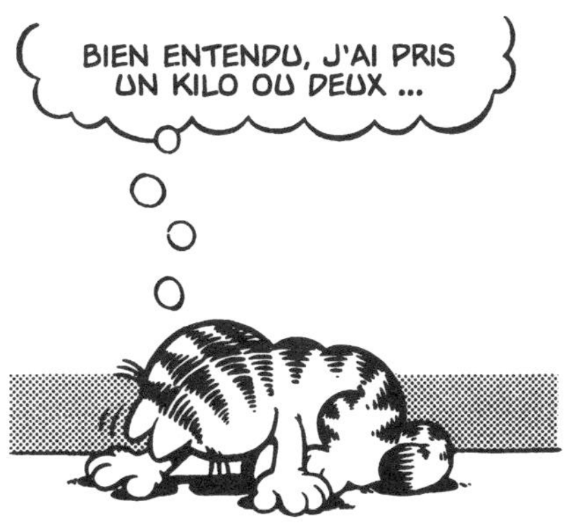
BIEN ENTENDU, J'AI PRIS UN KILO OU DEUX ...

OU TROIS OU QUATRE OU CINQ
© 1986 United Feature Syndicate,Inc.

VOICI TA SALADE DE CRUDITÉS, GARFIELD
3-25

VEUX-TU Y AJOUTER QUELQUE CHOSE?
SI, JE VEUX BIEN
© 1986 United Feature Syndicate,Inc.

JE GARNIRAIS ÇA D'UN GROS GÂTEAU AU CHOCOLAT!
JIM DAVIS

3-26
JIM DAVIS

JE CROIS CONNAÎTRE LE SECRET DE SA MINCEUR...

IL FAUT BRÛLER BEAUCOUP D'ÉNERGIE POUR ÊTRE AUSSI SOT
RRRRRR
© 1986 United Feature Syndicate, Inc.

VOUS AVEZ PERDU 1,5 KILO
3-27

FÉLICITATIONS GARFIELD!
MERCI BIEN!

PSITT! QUAND RECHARGEREZ-VOUS MES PILES?
DEMAIN
JIM DAVIS

GARFIELD, SI TU VEUX MINCIR, TU DOIS MODIFIER TES HABITUDES ALIMENTAIRES
GARFIELD
JIM DAVIS
3 -28

ARFIELD

SPLUT!
ARFIELD

QUEL JOUR ENTREPREND-ON LA PLUPART DES RÉGIMES?
3-29

FAUX! LE LUNDI VIENT AU SECOND RANG DES JOURS PRÉFÉRÉS POUR SE METTRE AU RÉGIME
JIM DAVIS

LA PLUPART DES RÉGIMES COMMENCENT «DEMAIN»!

VOIS JON! UNE TACHE SUR TA CHEMISE
OÙ?
© 1986 United Feature Syndicate, Inc.

HA! HA!
BEDING!

ATTENTION ODIE! TON LACET EST DÉNOUÉ!

HA! HA!
BEDING! BEDONG!

HÉ GARFIELD! UNE ÉNORME ARAIGNÉE VELUE GRIMPE LENTEMENT SUR TA BEDAINE
ESSAIE AUTRE CHOSE, JON

IL DEVRA MANGER DES CROÛTES AVANT QUE GARFIELD MARCHE DANS UN TEL PANNEAU!
3-30
JIM DAVIS

JIM DAVIS
3-31

DES RATS!

DES RATS?! OÙ DONC?
CIEL! QU'ALLONS-NOUS FAIRE?
LE QUARTIER N'EST PLUS CE QU'IL ÉTAIT!
DE PETITS MALINS, EN PLUS
© 1986 United Feature Syndicate, Inc.

QUI ÊTES-VOUS?
NOUS, MÔSSIEU, SOMMES DES RATS
NOUS SOMMES TOUS FRÈRES
JIM DAVIS 4-1

PAF!
© 1986 United Feature Syndicate, Inc.

J'OUBLIAIS: L'UN DE NOUS EST UNE SŒUR
TAP TAP TAP

SALUT ÉTRANGER! RIP, JUANITA ET BOB À VOTRE SERVICE! RÉPANDRE LA PESTE EST NOTRE SPORT PRÉFÉRÉ
JIM DAVIS 4-2

LAQUELLE PARMI VOUS EST JUANITA?

CELLE QUI EMBAUME «EAU DE VERMINE»!

D'OÙ TENEZ-VOUS VOS NOMS?
MON PÈRE S'APPELAIT RIP
MA GRAND-MÈRE S'APPELAIT JUANITA
JIM DAVIS

ET TOI, BOB?
C'EST LE SON QUE FAIT MA TÊTE QUAND JE LA HEURTE À UN MUR

J'EN DÉDUIS QUE BOB N'EST PAS TRÈS MALIN
IL NE SORTIRAIT PAS D'UN LABYRINTHE MÊME EN POSSESSION DE LA CARTE!
4-3

JON ME SEMONCERA S'IL DÉCOUVRE DES RATS DANS LA MAISON. FAISONS-LES SORTIR PAR LA RUSE EN RECOURANT AU TRUC DU JOUEUR DE FLÛTE

© 1986 United Feature Syndicate, Inc.

ÉCOUTE MON GROS! REPRENONS DU DÉBUT!
JIM DAVIS 4-4

QUELS SONT VOS PROJETS POUR LA JOURNÉE?
RÉPANDONS LA PESTE!
© 1986 United Feature Syndicate, Inc.

NAN! FAISONS PLUTÔT CHUTER LA VALEUR D'UNE PROPRIÉTÉ
OU FAISONS UNE VISITE GUIDÉE DES ÉGOUTS
JIM DAVIS

VOUS ME DÉGOÛTEZ
C'EST NOTRE VIE
OU RONGEONS LA JAMBE DE BOIS D'UN VIEILLARD
4-5

JE VOIS QUE TU ES TOUJOURS RONDOUILLARD
JE VOIS QUE TES DENTS SONT TOUJOURS ÉCARTÉES
AU MOINS, JE PUIS ME LA FERMER
JE PEUX FAIRE UN RÉGIME
© 1986 United Feature Syndicate, Inc.

IL Y A PEU DE CHANCES QUE TU FASSES UN RÉGIME
IL Y A PEU DE CHANCES QUE TU LA FERMES
JIM DAVIS

POURQUOI NOUS QUERELLER COMME DES GAMINS? JE SUIS NAVRÉE
NAVRÉ AUSSI

À BIENTÔT ARLÈNE!
À BIENTÔT GARFIELD!
4-6

DENTS DE CASTOR!
GROS LARD!

J'AI HORREUR DES JOURNÉES PARTIELLE-MENT NUAGEUSES
JIM DAVIS 4-7

QUAND IL FAIT SOLEIL, JE SUIS HEUREUX. QUAND IL FAIT GRIS, JE SUIS TRISTE

QUAND IL FAIT PARTIELLEMENT NUAGEUX, J'AI DES SAUTES D'HUMEUR DIGNES DES MONTAGNES RUSSES

TIENS, TIENS! LEVÉ TÔT CE MATIN, GARFIELD!

JE NE ME SUIS PAS LEVÉ TÔT

J'AI UNE CRAMPE À LA PATTE!
JIM DAVIS 4-8

J'AI HORREUR DES BOÎTES DE LAIT QUI S'OUVRENT MAL
LAISSE-MOI T'AIDER
LAIT
JIM DAVIS
4-9

HIYAH!
TCHOC!
LAIT

UN OUTIL FORMIDABLE QUE LES GRIFFES!
LAIT

TU RESTES DEHORS, GARFIELD. TU ENTRERAS QUAND JE LE DÉCIDERAI
4-10
JIM DAVIS

SCRIIIIIIIII

C'EST DÉCIDÉ
BONNE DÉCISION!

BORDÉ POUR LA NUIT?
OUAIS
JIM DAVIS
4-11

MA LASAGNE!
J'AURAIS PRÉFÉRÉ QUE TU N'EN SACHES RIEN
© 1986 United Feature Syndicate, Inc.

LA TROISIÈME BALLE DE TENNIS, À PRÉSENT
JIM DAVIS
4-12

TA-LAM! UN NOUVEAU RECORD MONDIAL!
TU LES CRACHES SUR-LE-CHAMP!

CE TYPE N'ENTRERA JAMAIS DANS L'HISTOIRE
© 1986 United Feature Syndicate, Inc.

OH LA LA! JE VAIS FAIRE DU LÈCHE-VITRINE À MA FAÇON!
NON, PAS TOI ODIE! JE L'AI VUE EN PREMIER!
ELLE EST À MOI ET À MOI SEUL!
© 1986 United Feature Syndicate, Inc

MINUTE ODIE! J'AI UNE IDÉE! POURQUOI NE PAS COLLABORER POUR DÉROBER LA TARTE ET LA PARTAGER ENSUITE?
4-13

LE VIEIL ADAGE EST TOUJOURS PERTINENT
JIM DAVIS

À SAVOIR: «ON A TOUJOURS BESOIN DE PLUS POIRE QUE SOI.»

TU SAIS QUOI, GARFIELD? NOUS PARTONS À LA FERME, CHEZ MES PARENTS!
4-14
JIM DAVIS

JON, TU AS DES FACULTÉS DE CLAIRVOYANT

JE SONGEAIS JUSTEMENT QU'IL ÉTAIT TEMPS DE RENOUVELER LES CHARDONS SUR MON PELAGE
© 1986 United Feature Syndicate, Inc.

MAMAN, LES POMMES DE TERRE, S.V.P.
GRATIN, PURÉE, FRITES, EN ROBE DES CHAMPS OU BOUILLIES?
© 1986 United Feature Syndicate, Inc.

MAMAN, TU EN FAIS TOUJOURS TROP
JE SAIS, MON CHÉRI, JE SAIS. QUE VEUX-TU À PRÉSENT?

JE NE SAIS PAS. UNE POINTE DE TARTE?
AUX POMMES, AUX PÊCHES, AUX POIRES, AUX FRAISES OU À LA CRÈME DE BANANE?
JIM DAVIS

FANTASTIQUE LA VIE À LA FERME, PAS VRAI GARFIELD?
4-16

J'ADMETS CEPENDANT QU'ON S'Y ENNUIE UN PEU

RIEN À FAIRE, SINON COMPTER LES BRIQUES DU VIEUX SILO
14 238
JIM DAVIS

REGARDE GARFIELD! UNE MEU-MEU!
4-17
JIM DAVIS

ET UNE COTT-COTT!
ET UN OINK-OINK!

HA! HA! LES GARS!
IL DOIT S'AGIR DE L'HUMOUR FERMIER DONT IL M'A TANT PARLÉ

JIM DAVIS
NOUS AVANÇONS EN TERRAIN VASEUX GARFIELD
OUAIS!
4-18

IL Y EN A TROP ÉPAIS POUR UN PETIT BONHOMME COMME TOI
JE SAIS

TU DEVRAIS T'ASSEOIR SUR LES ÉPAULES DE JON
JE LE SUIS

V'LÀ LES NUAGES!
OUAIS
JIM DAVIS

VA PLEUVOIR!
OUAIS
HOMMES DE PEU DE PAROLES
4-19

IL PLEUT
OUAIS
ET DE PEU DE CERVELLE

GRATT
GRATT
GRATT
OUAH!
OUAH!
POURQUOI NE PAS OUVRIR
VOUS-MÊMES POUR CHANGER?
JIM DAVIS 4-20
MAIS?!

© 1986 United Feature Syndicate,Inc.
CRASH

JE DEVRAIS SÉRIEUSEMENT
ENVISAGER L'INSTALLATION D'UN
BATTANT POUR LES ANIMAUX

LE JOURNAL DEVRAIT ÊTRE ICI D'UNE MINUTE À L'AUTRE
4-21
JIM DAVIS

PLOC!

PARFOIS ON REÇOIT LE JOURNAL, PARFOIS C'EST LE JOURNAL QUI NOUS REÇOIT!

MA VIE EST ENNUYEUSE
JIM DAVIS
4-22

CONNAISSEZ-VOUS L'ADAGE QUI DIT: «ENDIMANCHÉ ET NULLE PART OÙ ALLER»?

JE SUIS À POIL ET N'AI NULLE PART OÙ ALLER

JE DOIS METTRE DU PIQUANT DANS MON EXISTENCE
JIM DAVIS

J'AI TROUVÉ! JE VAIS FAIRE MA SIESTE D'APRÈS-MIDI EN MATINÉE ET MA SIESTE DU MATIN EN APRÈS-MIDI

GARFIELD, PETIT FUTÉ PLEIN DE FOUGUE ET D'IMPÉTUOSITÉ!
4-23

LA VIE EST COMME UNE FERRARI: ELLE FILE TROP VITE

MAIS C'EST TANT MIEUX

CAR ON NE PEUT SE LA PERMETTRE!
JIM DAVIS
4-24

JE M'APPRÊTE À MÉDITER AFIN D'ENRICHIR MON EXISTENCE
4-25
JIM DAVIS

RIEN NE VAUT LA MÉDITATION POUR RETROUVER SON SOI

HÉ SOI! SI TU NE TE SORS PAS DE CETTE POSITION STUPIDE EN TROIS SECONDES, TES ROTULES VONT DÉCOLLER!

LA VIE EST SEMBLABLE À UNE VASQUE D'OISEAUX: SCULPTÉE DANS LA PIERRE, EMPLIE D'EAU, EUH... LES OISEAUX VIENNENT S'Y ABREUVER

QUELLE COMPARAISON IDIOTE! LA VIE N'A RIEN D'UNE VASQUE D'OISEAUX
TAP
TAP

LA VIE EST SEMBLABLE À UN PHOTOCOPIEUR... EUH
JIM DAVIS 4-26

JON FERAIT MIEUX DE SE RÉVEILLER À TEMPS CE MATIN

S'IL DORT TROP, IL LE REGRETTERA

À VRAI DIRE, JE SOUHAITE QU'IL DORME TROP. NOUS ALLONS RIGOLER
© 1986 United Feature Syndicate, Inc.

CLIGNE
CLIGNE
CLIGNE

JE SUIS RÉVEILLÉ! JE SUIS RÉVEILLÉ!
RABAT-JOIE!
JIM DAVIS 4-27

DONNE-MOI UNE POUSSÉE, ODIE!
JIM DAVIS

UNE FORTE POUSSÉE
4-28

ALLONS-Y POUR UNE POUSSÉE MOYENNEMENT FORTE

PRÉPARE-TOI À ENTRER EN ORBITE, ODIE!
4-29

FAIS-MOI SIGNE À TON RETOUR!
JIM DAVIS

REGARDE ODIE! SANS LES JAMBES!
JIM DAVIS 4·30

REGARDE ODIE! SEULEMENT UNE MAIN!

J'AI HORREUR DES M'AS-TU-VU!
© 1986 United Feature Syndicate, Inc.

LE DRAPEAU EST ABAISSÉ ET LA COURSE DÉBUTE!
JIM DAVIS 5-1
© 1986 United Feature Syndicate, Inc.

L'IMBATTABLE ENZIO BODONI MÈNE LE PELOTON

ENZIO BODONI FAIT UN ARRÊT IMPRÉVU AU STAND

J'ADORE M'AMUSER AU TERRAIN DE JEU
5-2

LA CAGE À POULES ÉTAIT MON JEU PRÉFÉRÉ QUAND J'ÉTAIS PETIT

ON NE RETOURNE PAS EN ARRIÈRE
JIM DAVIS

ODIE, J'AI BESOIN DE TOI
JIM DAVIS

POUR LE JEU DE BASCULE, IL FAUT ÊTRE DEUX

J'AI ENVIE DE PLEURER
5-3

DEBOUT GARFIELD! JE VEUX QUE TU VOIES LE SOLEIL SE LEVER
MOI? UN LEVER DE SOLEIL? C'EST CONTRE NATURE

IL EST GRAND TEMPS QUE TU VOIES UN LEVER DE SOLEIL
DANS CE CAS, PRENDS UNE PHOTO!

OÙ EST TON GOÛT DE L'AVENTURE?
AVANT LE PETIT-DÉJ', JE N'EN AI PAS

C'EST UNE EXPÉRIENCE ÉMOTIONNELLE QUE TU N'OUBLIERAS JAMAIS!
J'EN AI DÉJÀ VU UN DANS UN FILM
JIM DAVIS
5-4

FAISONS UN PACTE. SI TU SORS CALMEMENT, JE NE TE MONTRERAI PLUS JAMAIS UN SEUL LEVER DE SOLEIL
ENTENDU!
© 1986 United Feature Syndicate, Inc.

ZUT!
JE SUIS ÉTRANGLÉ PAR L'ÉMOTION. ENTRONS!

OUPS!
OH NON! MA BELLE PORCELAINE!
CRASH!
5-5
© 1986 United Feature Syndicate, Inc.

VOIS LE BON CÔTÉ DES CHOSES

TON SERVICE DE 64 MORCEAUX EST MAINTENANT PASSÉ À 3 000 MORCEAUX
JIM DAVIS

GARFIELD, ON TROUVE DES POILS DE CHAT PARTOUT DANS LA MAISON
N'EST-CE PAS FANTASTIQUE? ILS SONT COMME DES MEMBRES DE LA FAMILLE
© 1986 United Feature Syndicate, Inc.

POUAH! J'AI FAILLI AVALER CELUI-CI!
CIEL!

JIM DAVIS 5-6
BILLY? PARLE-MOI! EST-CE QUE ÇA VA?

© 1986 United Feature Syndicate, Inc.

GARFIELD!
5-7

QU'AS-TU FAIT À MA FOUGÈRE?
JE L'AI (BURP) ÉMONDÉE
JIM DAVIS

5-8
GARFIELD, TU AGIS COMME LE PROPRIÉTAIRE DE CETTE MAISON
JE LE SUIS

QU'EST-CE QUE C'EST?
UN ACTE NOTARIÉ

JIM DAVIS
© 1986 United Feature Syndicate, Inc.
C'EST UN FAUX
NOUS NOUS REVERRONS DEVANT LE JUGE

QU'EST-CE QUE C'EST QUE ÇA? UN POIL DE CHAT SUR MA LASAGNE
5-9
© 1986 United Feature Syndicate,Inc.

QU'AS-TU À DIRE POUR TA DÉFENSE?
OUILLE!
JIM DAVIS

5-10
© 1986 United Feature Syndicate,Inc.

CRASH!

QU'EST-CE QUI T'A POUSSÉ À FAIRE CELA?
MON SENS ESTHÉTIQUE
JIM DAVIS

OH NON!

ODIE! DIEU MERCI C'EST TOI! LANCE-MOI UNE CORDE!
© 1986 United Feature Syndicate, Inc.

OUF!

TIRE À PRÉSENT!

TU JOUES ENCORE AVEC TES ALIMENTS, À CE QUE JE VOIS
TU PARLES D'UN JEU! IL FAUDRAIT CLÔTURER CE BOL DE BOUILLIE D'AVOINE. QUELQU'UN POURRAIT SE BLESSER
5-11
JIM DAVIS

VOYONS QUELLE JOURNÉE NOUS AURONS
JIM DAVIS 5-12
© 1986 United Feature Syndicate,Inc.

ZIP!

IL SEMBLE QUE CE SOIT LUNDI

JE VAIS TE SORTIR DE LÀ, GARFIELD
JIM DAVIS 5-13

FLIP! FLIP! FLIP!

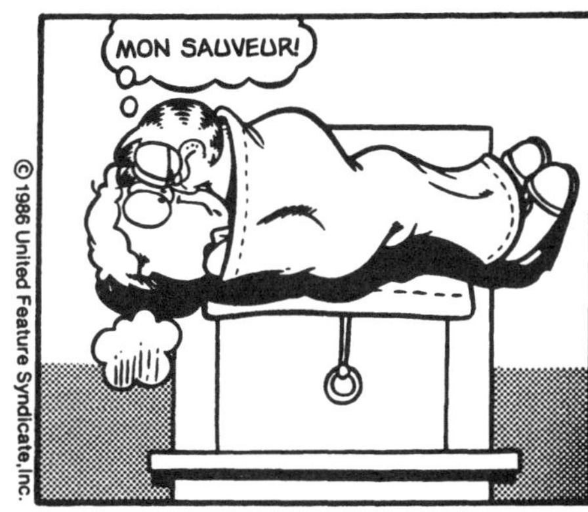
MON SAUVEUR!
© 1986 United Feature Syndicate,Inc.

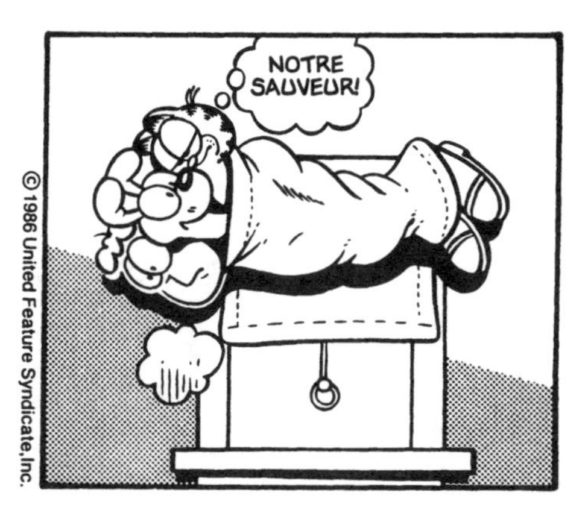

© 1986 United Feature Syndicate,Inc.

© 1986 United Feature Syndicate,Inc.

JE ME DEMANDE COMMENT NOUS SORTIRONS DE LÀ
© 1986 United Feature Syndicate, Inc.

CRASH!

N'EST-CE PAS FORMIDABLE? QUAND TOUT SEMBLAIT DÉSESPÉRÉ, UN RESSORT DU DESTIN S'EST DÉTENDU
VIVE LES DÉNOUE-MENTS HEUREUX
JIM DAVIS 5-16

EXCUSEZ-MOI, MADAME?
© 1986 United Feature Syndicate, Inc.

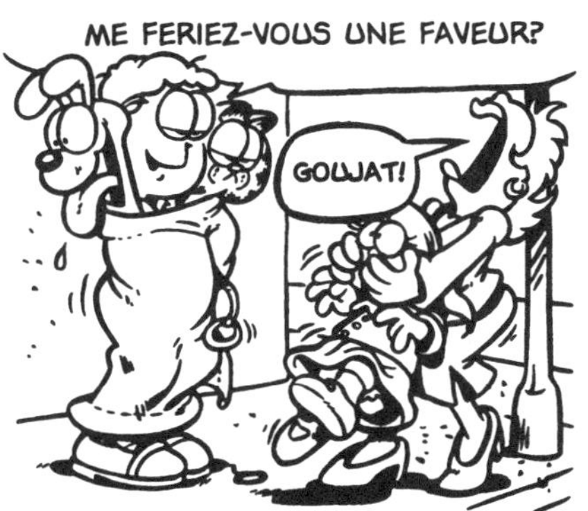
ME FERIEZ-VOUS UNE FAVEUR?
GOUJAT!

QU'AI-JE DIT?
ELLE NE DÉSIRAIT PAS S'IMPLIQUER
5-17
JIM DAVIS

COMME IL EST AGRÉABLE DE PASSER DU BON TEMPS ENSEMBLE...

TU TE SOUVIENS DE LA FOIS OÙ TU NOUS AVAIS TOUS ENROULÉS DANS UN STORE, GARFIELD?
© 1986 United Feature Syndicate, Inc.

NOUS EN ÉTIONS PRISONNIERS, INCAPABLES DE BOUGER

CE FUT LE BOUQUET QUAND ODIE S'Y EST ENROULÉ EN TENTANT DE NOUS DÉLIVRER!

IL ME SEMBLE QUE C'ÉTAIT HIER
5-18

C'ÉTAIT HIER, CRÉTIN!
WOUF!
NON, ODIE, TU NE PEUX SORTIR!
JIM DAVIS

MONSIEUR, AURIEZ-VOUS L'OBLIGEANCE DE DÉROULER CE STORE?
BIEN SÛR
© 1986 United Feature Syndicate,Inc.

BRIRRRRR!

LA MAISON EST MODESTE, MAIS VOUS Y ÊTES CHEZ VOUS
QU'Y A-T-IL POUR DÎNER?
JIM DAVIS
5-19

POLICE! ARRÊTEZ CETTE BANDE DE CINGLÉS!
JIM DAVIS 5-20

FLAP
FLAP
FLAP
FLAP

O.K. JE ME RENDS. FAITES DE MOI CE QU'IL VOUS PLAIRA
ZIGOUIL-LONS-LA
LA FERME, GARFIELD
© 1986 United Feature Syndicate,Inc.

À L'AIDE! ON TENTE DE ME KIDNAPPER!
JIM DAVIS 5-21

HAUT LES MAINS, BANDE DE VOYOUS! ET RENDEZ-VOUS!

JAMAIS! PLUTÔT MOURIR AU COMBAT!
NE VOUS MÊLEZ PAS DE ÇA!
© 1986 United Feature Syndicate, Inc.

COMBIEN DE PERSONNES SERONT RETENUES DANS CE STORE AVANT QUE CE CAUCHEMAR NE PRENNE FIN?
5-22
© 1986 United Feature Syndicate, Inc.

MINUTE! D'OÙ VIENT CE LAMPADAIRE?
IL FAUT POSER LA QUESTION À ODIE
JIM DAVIS

J'AI DU MAL À CROIRE QU'AUTANT DE GENS PUISSENT S'EMPÊTRER DANS UN SIMPLE STORE

COMMENT NOUS SORTIRONS-NOUS DE CETTE MÉSAVENTURE?
JIM DAVIS 5-23

COMMENT NOUS RELÈVERONS-NOUS?
© 1986 United Feature Syndicate, Inc.

TENEZ BON, TOUS
SNIP SNIP
© 1986 United Feature Syndicate, Inc.

VOUS ÊTES LIBRES
HOURRA!!

SUPER!
ENFIN LES COUDÉES FRANCHES
TU PARLES!
5-24
JIM DAVIS

LA VIE, C'EST COMME LA PURÉE DE POMMES DE TERRE: IL FAUT AVALER LES GRUMEAUX COMME LE RESTE
PLOUF!
LA VIE, C'EST COMME UN COLA AUX CERISES: LORSQUE ÇA DEVIENT INTÉRESSANT, LE PÉTILLANT S'EST ENVOLÉ

LA VIE, C'EST COMME UN DINDON: QUELLE QUE SOIT LA PARTIE CHOISIE, ÇA RESTE UN DINDON
BONG!
PLOUF!

LA VIE EST COMME UN FROMAGE FIN: ELLE SE BONIFIE AVEC LE TEMPS
SNIF
JIM DAVIS

LA VIE EST COMME UN LAPIN: À DÉFAUT DE BONDIR, ELLE MÈNE NULLE PART
5-25

TU CHERCHES LA SIGNIFICATION DE L'EXISTENCE, GARFIELD?
ELLE SE TROUVE QUELQUE PART SUR CETTE TABLE
© 1986 United Feature Syndicate, Inc.

JE M'ENNUIE
JIM DAVIS
5-26
© 1986 United Feature Syndicate, Inc.

JE DEVRAIS PRATIQUER UN SPORT

SCHLAC!
CHAT! C'EST MOI LE CHAT!

PLOUF!
5-27

VEUX-TU BOIRE DE L'EAU, ODIE?
JIM DAVIS

© 1986 United Feature Syndicate, Inc.

J'AIMERAIS POUVOIR ARRÊTER CHACUNE DE CES AUTOS ET DEMANDER À LEURS OCCUPANTS OÙ ILS SE RENDENT. À DÉFAUT D'UNE BONNE RÉPONSE, JE LES RENVERRAIS CHEZ EUX
JIM DAVIS
5-28
© 1986 United Feature Syndicate, Inc.

BIEN ENTENDU, QUELQUES-UNS SONT PEUT-ÊTRE SANS DOMICILE... COMME C'EST TRISTE

DE VIVRE DANS SON AUTO!

LES OISEAUX SEMBLENT GAZOUILLER DAVANTAGE À CETTE PÉRIODE DE L'ANNÉE
CUI-CUI
CUI-CUI
JIM DAVIS
© 1986 United Feature Syndicate, Inc.

ILS ANNONCENT PEUT-ÊTRE UNE NOUVELLE SAISON
CUI-CUI
5-29

OU ALORS, C'EST LA DOUCHE QUE JON A INSTALLÉE DANS LEUR VASQUE
CUI-CUI

CHIEN IDIOT! JE ME RIS DE TA GUEULE, JE CRACHE À TES PIEDS!
5-30

J'AIME INJURIER LE CHIEN D'À CÔTÉ, EN AUTANT QU'UNE CLÔTURE NOUS SÉPARE

J'AVAIS OUBLIÉ LES TROUS LAISSÉS PAR LES NŒUDS!
JIM DAVIS
© 1986 United Feature Syndicate, Inc.

VOICI DU POTAGE AUX AILERONS DE REQUIN, GARFIELD
5-31
© 1986 United Feature Syndicate, Inc.

MERCI BIEN, MAIS JE N'AI PAS ENVIE DE MANGER DES FRUITS DE MER
JIM DAVIS

JE TENTE PLUTÔT SUR TON POTAGE AU PIED DE POULE

NOUS INTERROGEONS LES PASSANTS POUR SAVOIR QUI, DU CHIEN OU DU CHAT, EST LE PLUS FUTÉ

LE CHAT, BIEN ENTENDU
SCHLAC!

ET VOUS, MONSIEUR?
JE PENSE QUE LES CHIENS SONT PLUS FUTÉS
PIC PIC

ET VOUS, PETIT GARÇON?
LES PORCS SONT PLUS FUTÉS QUE LES CHIENS ET LES CHATS

LES PORCS SONT PLUS FUTÉS QUE NOUS? DIFFICILE À CROIRE
© 1986 United Feature Syndicate, Inc

VIENS ODIE! ON EN DISCUTE DEVANT UN SANDWICH AU JAMBON!
JIM DAVIS 6-1

6-2
© 1986 United Feature Syndicate,Inc.

TA LITIÈRE REFOULE?
J'AI HORREUR DES LUNDIS
JIM DAVIS

HEP! HEP! HEP!
JE VAIS T'AIDER ODIE
BISCUITS
6-3
© 1986 United Feature Syndicate,Inc.

PLOUP!

J'IGNORE COMMENT FONT LES CHIENS POUR SURVIVRE
EUH... JON?
BISCUITS
JIM DAVIS

MANGERAS-TU CE HAMBURGER, POOKIE?
6-4
© 1986 United Feature Syndicate, Inc.

J'ADORE MANGER AVEC UN OURSON DE PELUCHE

IL EST TOUJOURS BOURRÉ
JIM DAVIS

GARFIELD
6-5
JIM DAVIS

À TABLE GAR...
MIAM!
GARFIELD
ZIP!

BURP... QU'Y A-T-IL À LA TÉLÉ?
REVIENS ET MANGE SANS TE PRESSER!
GARFIELD
© 1986 United Feature Syndicate, Inc.

TAP
TAP
TAP

JE CONNAIS UN CHIEN SI STUPIDE QU'IL POURSUIT LES OS ET ENTERRE LES AUTOS!
JIM DAVIS
6-6

CLOC!
BONG!
BOP!
BAP!
© 1986 United Feature Syndicate, Inc.

JE CONNAIS UN CHIEN SI RICHE QU'IL A EMBAUCHÉ QUELQU'UN POUR BAVER À SA PLACE
6-7
© 1986 United Feature Syndicate, Inc.

HA! HA! HA! HA!

J'AI HORREUR DE RIRE DE MES PLAISANTERIES
JIM DAVIS

TIENS LE PLONGEOIR FERMEMENT, ODIE

O.K. FAISONS UN ESSAI À PRÉSENT

HORS DE LÀ CORNIAUD! JE VEUX ÊTRE LE PREMIER DANS LA PISCINE
1986 United Feature Syndicate, Inc.

NOUS FERIONS MIEUX DE RELIRE LES DIRECTIVES D'ASSEMBLAGE
GRATT
GRATT
JIM DAVIS 6-8

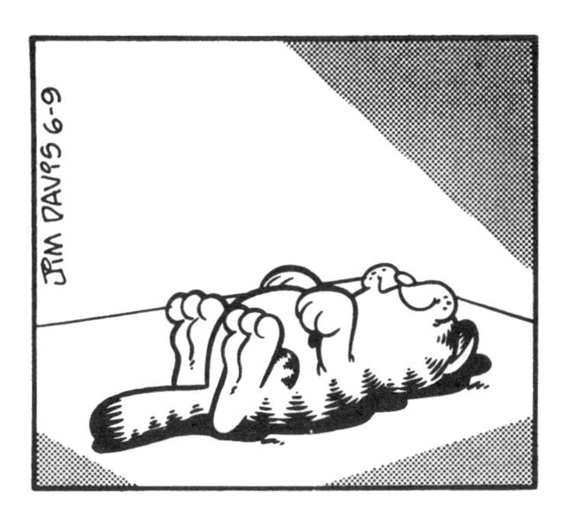
JIM DAVIS 6-9

TU PASSES DÉCIDÉMENT BEAUCOUP DE TEMPS AU SOLEIL, GARFIELD
TU NE SAIS PAS?

LES CHATS FONCTIONNENT À L'ÉNERGIE SOLAIRE
© 1986 United Feature Syndicate, Inc.

BIEN LE BONJOUR! JE M'APPELLE NERMAL ET JE SUIS LE PLUS JOLI MINET AU MONDE
JE SAIS, JE SAIS
JIM DAVIS 6-10
© 1986 United Feature Syndicate, Inc.

IL Y A PLUS IMPORTANT QUE D'ÊTRE MIGNON, TU SAIS
QUOI DONC, GRANDS DIEUX?

ÊTRE GROS!
FLIP

OUI-DA!
JIM DAVIS 6·11

ÇA SEMBLE AMUSANT. LAISSEZ-MOI ESSAYER

QU'EST-CE QUI NE VA PAS?
MYSTÈRE ET BOULE DE GOMME
© 1986 United Feature Syndicate,Inc.

UN PEU PLUS À DROITE
GRATT
JIM DAVIS 6·12

OUI, OH... ÇA Y EST!
GRATT GRATT

JE VOIS MAINTENANT POURQUOI LES CHATS SONT SI APPRÉCIÉS
NOUS SOMMES PLUTÔT FORMIDABLES, C'EST VRAI
© 1986 United Feature Syndicate,Inc.

CE MATIN, J'AI L'IMPRESSION DE POUVOIR CONQUÉRIR L'UNIVERS ENTIER
ÇA TE PASSERA. TU SOUFFRES DE L'IDÉALISME DE LA JEUNESSE
JIM DAVIS 6-13
© 1986 United Feature Syndicate,Inc.

NE CROIS-TU PAS QUE TU SOUFFRES DU CYNISME DE LA VIEILLESSE?

D'ACCORD! D'ABORD NOUS CONQUÉRONS LE PÂTÉ DE MAISONS, PUIS LE QUARTIER, ENSUITE...

HO! CESSE DE PRENDRE APPUI SUR MOI!
JE NE PRENDS PAS APPUI SUR TOI
GARFIELD
JIM DAVIS 6-14

FLOP
GARFI

© 1986 United Feature Syndicate,Inc.
ALORS?
LE VENT A CHANGÉ, VOILÀ TOUT
GARFI

GARFIELD, ARRIVE! C'EST PRÊT!
GARFIELD

GARFIELD

LE DÎNER EST SERVI!
GARFIELD
© 1986 United Feature Syndicate, Inc.

GARFIELD

VOUS VOULEZ FAIRE LE BONHEUR DE VOTRE CHAT? ALORS, SERVEZ-LUI UNE PÂTÉE FAITE À PARTIR DE VIANDE VÉRITABLE, RELEVÉE DE FINES HERBES ET D'ÉPICES. PUIS ÉTANCHEZ SA SOIF AVEC UNE BOLÉE DE LAIT BIEN FRAIS
GARFIELD
JIM DAVIS

CONTENT?
NOUS, CHATS, APPRÉCIONS LES EMBALLAGES ATTRAYANTS
GARFIELD
6-15

NOM D'UN CHIEN! J'AURAI HUIT ANS JEUDI PROCHAIN!
JUIN
JIM DAVIS
6-16
© 1986 United Feature Syndicate,Inc.

J'AI HORREUR DES ANNIVERSAIRES. ILS SONT COMME LES CALENDRIERS
JUIN

ILS NOUS RAPPELLENT QUE NOS JOURS SONT COMPTÉS
JUIN

HÉ-HO! QUELQU'UN EST DANS MON LIT!
JIM DAVIS
6-17

OH! C'EST TOI...

BONJOUR BEDON!
© 1986 United Feature Syndicate,Inc.

J'AI UNE MAUVAISE NOUVELLE À PROPOS DE TON GÂTEAU D'ANNIVERSAIRE
JIM DAVIS 6-18

IL S'EST EFFONDRÉ SOUS LE POIDS DES CHANDELLES
C'EST UNE BLAGUE SUR LE VIEIL ÂGE?

DE TOUTE FAÇON, IL AURAIT DÉCLENCHÉ LE DÉTECTEUR DE FUMÉE
LES JEUNES N'ONT PLUS LE RESPECT DES AÎNÉS!

JOYEUX ANNIVERSAIRE GARFIELD, NOTRE CHAT PRÉFÉRÉ!
JIM DAVIS 6-19

SAVEZ-VOUS POURQUOI J'ADORE LES ANNIVERSAIRES?

CAR, PENDANT UNE JOURNÉE, LE MONDE ENTIER EST CENTRÉ SUR VOUS!

JOYEUX ANNIVERSAIRE GARFIELD! VOICI LE GÂTEAU AUX DEUX CHOCOLATS AVEC CRÈME PÂTISSIÈRE ET GUIMAUVE
JIM DAVIS 6-20

VOICI DE LA CRÈME GLACÉE AU CARAMEL ÉCOSSAIS, DES BISCUITS AU SUCRE ET UN LAIT FOUETTÉ AUX CERISES! DES QUESTIONS?
OUUI...
© 1986 United Feature Syndicate, Inc.

QU'Y A-T-IL AU DESSERT?

COMME CADEAU, JE T'OFFRE CE LIVRE SUR LES DIÈTES
MERCI BIEN! IL FERA L'AFFAIRE!
© 1986 United Feature Syndicate, Inc.

DIETE

BISCUITS
JIM DAVIS
6-21

ZUT! J'EN ENVIE DE GRIGNOTER QUELQUE CHOSE ET JE NE SAIS PAS QUOI

JE N'AI PAS ENVIE D'UNE LASAGNE, PAS ENVIE DE LAIT, NI DE HAMBURGER
© 1986 United Feature Syndicate, Inc

CELA DÉNOTE HABITUELLEMENT UNE CARENCE DANS L'ORGANISME

J'AI TROUVÉ!

6-22

MON TAUX SANGUIN D'UNIFORME DE FACTEUR ÉTAIT TROP FAIBLE!
JIM DAVIS

RIEN D'AUTRE?
IRMA, NOUS N'AVONS PAS ENCORE COMMANDÉ
JIM DAVIS 6-23
© 1986 United Feature Syndicate, Inc.

VOICI VOTRE ADDITION. BONNE JOURNÉE À VOUS!

NE VOUS SOUCIEZ-VOUS PAS QUE NOUS N'AYONS PAS MANGÉ?
NON, EN AUTANT QUE VOUS LAISSIEZ UN GÉNÉREUX POURBOIRE

QUE RECOMMANDEZ-VOUS CE MIDI, IRMA?
JIM DAVIS 6-24
© 1986 United Feature Syndicate, Inc.

LE HAMBURGER FLAMBÉ, LES FRITES FLAMBÉES, LE POTAGE FLAMBÉ ET LA TARTE AUX PÊCHES FLAMBÉE

POURQUOI TOUT EST-IL FLAMBÉ?
LA CUISINE EST EN FEU

JIM DAVIS 6-25
VOUS AVEZ FAIT VOTRE CHOIX?

LA MÊME CHOSE QUE LUI!

COMME IL VOUS PLAIRA
© 1986 United Feature Syndicate, Inc.

COMMENT ALLEZ-VOUS IRMA?
SENSASS! J'AI REMPORTÉ LE TROPHÉE DE LA MEILLEURE SERVEUSE EN RESTAURATION RAPIDE
JIM DAVIS 6-26

SUR QUELS CRITÈRES JUGE-T-ON LA RAPIDITÉ DU SERVICE?

PLAF!
PLAF!
© 1986 United Feature Syndicate, Inc.

MESSIEURS, VOICI LE SPÉCIAL DU SAMEDI

MAIS C'EST TERRIBLEMENT MAUVAIS!

JIM DAVIS 6-27
HONNÊTEMENT, IL S'AGIT DU SPÉCIAL DE SAMEDI DERNIER

IRMA, J'AI COMMANDÉ UNE POINTE DE TARTE À LA MODE. OÙ EST LA CRÈME GLACÉE?
ELLE ÉTAIT LÀ IL Y A UN INSTANT

OUAH! HA!

JE L'AI!
JE LA MANGERAI NATURE, MERCI QUAND MÊME
JIM DAVIS 6-28

OH FIRMIN! REGARDE CE CHAT DE PLÂTRE!
Z

CE FLAMANT SERA TRÈS JOLI SUR LA PELOUSE DE MAMAN
DEPUIS QUAND DÉTESTES-TU TA MÈRE?

PENDANT QU'IL FAIT SES ACHATS, JE TAPE UN ROUPILLON

EUF! J'AI BIEN DORMI!

POURQUOI LE SORT S'ACHARNE-T-IL CONTRE MOI?
OUF!
6-29

OH! DE QUOI TE PLAINS-TU?
© 1986 United Feature Syndicate, Inc.
JIM DAVIS

HELLO JOLIE PETITE ARAIGNÉE!
GARFIELD
JIM DAVIS
6-30

© 1986 United Feature Syndicate,Inc.
FAIS COMME CHEZ TOI! PARTAGEONS MA BOUFFE, MON LIT...
GARFIELD

MA BIBLIOTHÈQUE
WHAM!
GARFIELD

ODIE, CE MATIN NOUS EFFRAYONS LE FACTEUR. AIE L'AIR MÉCHANT!
JIM DAVIS
7-1
© 1986 United Feature Syndicate,Inc.

D'ACCORD, EXERÇONS-NOUS À BAVER SUR SES CHAUSSURES

VOICI VENIR LE FACTEUR. J'AI LA CHANCE DE METTRE SON PANTALON EN LAMBEAUX
JIM DAVIS 7-2

YOW!

NAVRÉ L'AMI. JE N'AVAIS PAS REMARQUÉ QUE VOUS PORTIEZ UN BERMUDA
© 1986 United Feature Syndicate, Inc.

ZUT ALORS! GARFIELD S'ÉGARE CHAQUE FOIS QUE NOUS VENONS DANS UNE GRANDE SURFACE
SO
7-3

GARFIELD! OÙ ES-TU PASSÉ?
PAR ICI
SO

© 1986 United Feature Syndicate, Inc.
PLANTES D'INTÉRIEUR
PRÈS DU... (BURP) BAR À SALADES
JIM DAVIS

NORMALEMENT JE SÉVIRAIS CONTRE ODIE QUAND IL AGIT AINSI MAIS, HEUREUSEMENT POUR LUI, JE SERAI INDULGENT
GARFIELD
JIM DAVIS 7-4
© 1986 United Feature Syndicate, Inc.

POUF!
GARFIELD

IL FAUT COMPTER UN DÉLAI POUR QUE L'INTENTION SE RENDE AU BOUT DE MON PIED
GARFIELD

BONJOUR ODIE!
JIM DAVIS 7-5

© 1986 United Feature Syndicate, Inc.
COMMENT COMMUNIQUER AVEC UN CHIEN DONT LE CERVEAU EST PARTI SANS LAISSER D'ADRESSE?

GARFIELD, PRENDS CES PIÈCES ET COURS ACHETER DES COLAS

Cola
Cola
BEDONG!
© 1986 United Feature Syndicate, Inc.

QUE SE PASSERAIT-IL SI J'INSÉRAIS TOUTES LES PIÈCES D'UN COUP?
CLIC
CLIC

Cola
JIM DAVIS
7-6

CAJUNG!

QUELLE NUIT AFFREUSE! J'AI RÊVÉ QUE LA MAISON ÉTAIT CERNÉE DE MOLOSSES AUX CROCS ACÉRÉS QUI SCANDAIENT: «DONNEZ-NOUS LE CHAT!»
JIM DAVIS
7-7

BONJOUR GARFIELD! VEUX-TU METTRE LE NEZ DEHORS?

JE CROYAIS QUE TU ÉTAIS DE MON CÔTÉ!
PRÉFÈRES-TU DEMEURER À L'INTÉRIEUR?

NOM D'UN CHIEN! JON A L'ÉCUME À LA BOUCHE!
JIM DAVIS 7-8

NOUS DEVONS AGIR! VITE!

BONJOUR LES GARÇONS!
TROP TARD! SÉPARONS-NOUS ET PRIONS QU'IL SE LANCE À TA POURSUITE!

CECI EST UN CHAT, FISTON
JIM DAVIS
© 1986 United Feature Syndicate, Inc.

MAIS CELUI-CI EST OBÈSE ET MOCHE

JE DEVRAI PEUT-ÊTRE ROMPRE NOTRE TRAITÉ DE PAIX
REMARQUE SON FRONT TOMBANT, QUASI CRIMINEL
7-9

JE N'Y COMPRENDS RIEN, GARFIELD. POURQUOI N'AI-JE PAS DE CHANCE AVEC LES FEMMES?
© 1986 United Feature Syndicate, Inc.

DITES M'SIEUR, QUELLE HEURE EST-IL?
L'HEURE DE TOMBER AMOUREUX DE VOUS, CHARMANTE DEMOISELLE!

PEUT-ÊTRE ES-TU UN BRIN TROP EMPRESSÉ?
JIM DAVIS
7-10

RRRRR
JIM DAVIS 7-11

CLIC

TU T'AMUSES ENCORE AVEC LE SÈCHE-CHEVEUX, GARFIELD?
J'AI OPTÉ POUR LE LOOK NATUREL
© 1986 United Feature Syndicate,Inc.

GARFIELD, SI TU CONTINUES DE T'EMPIFFRER DE LA SORTE, TU VAS EXPLOSER
GARFIELD

POW!
JIM DAVIS 7-12

QUI DONC A REMUÉ LA BOUTEILLE DE BOISSON GAZEUSE?
© 1986 United Feature Syndicate,Inc.

GARFIELD, JE PRÉPARE UNE LASAGNE. TU ME DONNES UN COUP DE MAIN?
QUE J'Y SONGE UNE MIN... SI!

D'ABORD, ON FAIT REVENIR LA VIANDE, PUIS ON VERSE LA SAUCE TOMATE ET LES ÉPICES
VOYONS SI CE TRUC EST FRAIS
TOMATE

ENSUITE, ON MESURE LA RICOTTA, ON TRANCHE LA MOZZARELLA ET ON RÂPE LE PARMESAN
JE FERAIS MIEUX DE M'ASSURER QUE CE TRUC EST FRAIS

ENSUITE, ON DISPOSE UN LIT DE PÂTES AU FOND DU PLAT
UNE POUR MOI, UNE POUR LA LASAGNE...

À PRÉSENT, ON ENFOURNE PENDANT UNE HEURE À 200 °C
JIM DAVIS 7-13

PLUS TARD

DIS DONC! CETTE RECETTE NE FAIT PAS BEAUCOUP DE LASAGNE
APPAREMMENT, ELLE NE TENAIT PAS COMPTE DU GOÛTEUR

PAS MOYEN D'Y ÉCHAPPER!

IL VA ME RATTRAPER!

ATCHOUM!
© 1986 United Feature Syndicate,Inc.
JIM DAVIS
7-14

SNIF... JE SUIS ALLERGIQUE À JE NE SAIS QUOI. SERAIT-CE AUX CHIENS?

SNIF!

NAN!
© 1986 United Feature Syndicate,Inc.
JIM DAVIS
7-15

AH, AH

AH, AHH!

TCHOUM !

SNIF

SNIF

SNUK!
JE SAIS, GARFIELD. TU NE TE SENS PAS BIEN

JE VAIS ÉTERNUER! AH-AHH AHHH!
© 1986 United Feature Syndicate,Inc.

PFFT

MERCI! OÙ VAS-TU COMME ÇA?
JE VAIS FAIRE BOUILLIR MON DOIGT
JIM DAVIS 7-18

VOICI LA CAUSE DE MES ÉTERNUEMENTS: L'EAU DE COLOGNE DE JON
© 1986 United Feature Syndicate,Inc.

IL S'AGIT DE «MAUVE ÉGOUT», L'EAU DE COLOGNE DES OUVRIERS

JIM DAVIS 7-19
NUL N'IGNORE QUE JE SUIS ALLERGIQUE AU TRAVAIL

JE M'EMBÊTE IL FAUDRAIT QUE JE M'OCCUPE

LES ANIMAUX S'INVENTENT SANS CESSE DES JEUX; JE DEVRAIS PEUT-ÊTRE FAIRE COMME EUX
© 1986 United Feature Syndicate, Inc.

ALORS... TU VEUX CHANGER DE PELOTE AVEC MOI?
JIM DAVIS 7-20

JE L'AI! JE L'AI!

TÉLÉPHONE À LA MAISON DE FOUS, REBA! ARBUCKLE A FINALEMENT CRAQUÉ!
GRRR
YIP! YIP!
OUAH! OUAH!

EUF
7-21
JIM DAVIS

LES LUNDIS ONT PERDU DE LEUR SUBTILITÉ

LUNDI
21
JIM DAVIS
7-22

TCHIC
LUNDI
22

OH NON! LE LUNDI QUI NE VEUT PAS MOURIR!
LUNDI
22

TU AS RAISON GARFIELD; CHAQUE JOUR DE LA SEMAINE EST UN LUNDI
LUNDI 23
LUNDI 21
© 1986 United Feature Syndicate, Inc.

IL S'AGIT SANS DOUTE D'UNE FAUTE D'IMPRESSION. ÇA NE VEUT RIEN DIRE
LUNDI 23
LUNDI 21

APRÈS RÉFLEXION
BONG!
LUNDI

JE FERAIS MIEUX DE VÉRIFIER SI NOUS SOMMES ENCORE LUNDI
JIM DAVIS
7-24
© 1986 United Feature Syndicate, Inc.

SPLUT!
OUAIS

IMAGINEZ UNE SEMAINE ENTIÈRE FAITE DE LUNDIS! TRÈS PEU POUR MOI. JE NE BOUGE PAS
© 1986 United Feature Syndicate, Inc.

JE PASSE LE RESTE DE LA SEMAINE AU LIT

IL N'EST PAS NÉ CELUI QUI JOUERA PAREIL TOUR AU BON VIEUX GARFIELD
JIM DAVIS 7-25

JIM DAVIS
7-26
© 1986 United Feature Syndicate, Inc.

CE DOIT ÊTRE FORMIDABLE D'ÊTRE AUSSI STUPIDE

POUR ODIE, C'EST CHAQUE JOUR SAMEDI

JOLI MINET, VEUX-TU VENIR CHEZ MOI?
DÉTALE, FILLETTE!

JE VAIS TE DONNER DES TAS DE CHOSES À MANGER
JE TE SUIS!
© 1986 United Feature Syndicate, Inc.

NOUS ALLONS PASSER UN BON MOMENT

ET TU POURRAS JOUER AVEC CHIFFON

VOICI POUR TOI CHIFFON!
CHIFFON
JIM DAVIS 7-27

COMMENT TROUVES-TU LE CAFÉ CE MATIN, GARFIELD?
UN PEU FAIBLE

BOUM!

TU VOIS? IL N'A PAS FAIT CRAQUER LA SOUCOUPE
JIM DAVIS
7-28

MIAM MIUM CROUCH SLURP

BURP
JIM DAVIS 7-29

NE MANGE PAS CETTE TARTE, GARFIELD
PROMIS!

TU N'OUBLIERAS PAS, HEIN?
JE N'OUBLIERAI PAS. JE N'OUBLIE JAMAIS

JE N'AI QUE DES TROUS DE MÉMOIRE BIEN COMMODES
JIM DAVIS
7-30

NAVRÉE MESSIEURS, JE N'AI PLUS DE CAFÉ!
QUOI?!

MINUTE! VOUS AVEZ DE LA VEINE. JE ME SOUVIENS...

LE CLIENT PRÉCÉDENT A RENVERSÉ LE SIEN
JE PRÉPARE UNE INDIGESTION
JIM DAVIS 7-31

FORMIDABLE! QUE DISAIT MAMAN À PROPOS DE LA SIESTE DANS LE PANIER DE LESSIVE?

JAV

© 1986 United Feature Syndicate,Inc.
AH! OUI... «MON FILS, DORS TOUJOURS DANS LE PANIER DE LINGE PROPRE.»
JIM DAVIS 8-1

CETTE GLACE DEVRAIT LE COUVRIR DE HONTE ET IL SE METTRA AU RÉGIME
GARFIELD

GARFIELD

© 1986 United Feature Syndicate,Inc.
MERCI DE CE COMPAGNON DE TABLE CHARMANT ET VIF D'ESPRIT, JON!
ON NE PEUT COUVRIR DE HONTE UN CHAT ÉHONTÉ
GARFIELD
JIM DAVIS 8-2

VOYEZ LE LUNDI QUI
NE VEUT PAS MOURIR!
Z

ASSISTEZ À L'ATTAQUE DU MONSTRE CRACHEUR DE BAVE!

ASSISTEZ AUX INTERMINABLES VISITES DES CHATONS LES PLUS MIGNONS QUI SOIENT!
ARRRGH!

VOYEZ L'OUVRE-BOÎTES QUI REFUSE DE FONCTIONNER!
UNNGH!
BONG! BONG! BONG!

RÉVEILLE-TOI GARFIELD! VIENS-TU AU CINÉMA?
PAS UN FILM VIOLENT, J'ESPÈRE?
© 1986 United Feature Syndicate,Inc.

C'EST «LE MASSACRE À LA TRONÇONNEUSE DES ZOMBIES NÉCROPHAGES»
EN AUTANT QU'IL N'Y AIT AUCUN LUNDI!
JIM DAVIS 8-3

FERME LES YEUX GARFIELD!
8-4
JIM DAVIS

TA-TAM
OUILLE!

EST-CE QUE ÇA VA?
PRÉVIENS-MOI LA PROCHAINE FOIS OÙ TU VAS JOUER AU GOLF!

SAIS-TU DE QUOI IL S'AGIT GARFIELD?
BIEN SÛR

ET SAIS-TU À QUOI ILS SERVENT?
BIEN ENTENDU

JIM DAVIS
8-5
JE RECONNAIS DES BÂTONS POUR FRAPPER LES CHIENS QUAND J'EN VOIS

JE VAIS JOUER AU GOLF GARFIELD. VEUX-TU ÊTRE MON CADDIE?
JAMAIS! JE NE SUIS PAS TON ESCLAVE
JIM DAVIS 8-6

ÇA VA, C'EST BON. J'AI QUELQU'UN D'AUTRE EN TÊTE

LE VOICI!
NOUS SOMMES PERDUS!

VOICI MES CLUBS, CADDIE!

HOUP!
HI! HI! SNIF! QUE VAS-TU FAIRE À PRÉSENT?

CECI ENFREINT SÛREMENT UNE LOI INTERDISANT LE TRAVAIL DES ANIMAUX FAMILIERS
JIM DAVIS 8-7

CADDIE, VA CHERCHER LA BALLE
JIM DAVIS 8-8

ODIE!

ÉCOUTE UN PEU
VOICI LE GARDIEN QUI VIENT ET JE CROIS QU'IL TIENT UNE CARABINE
© 1986 United Feature Syndicate, Inc.

CADDIE, DONNE-MOI MON SAC
JIM DAVIS
© 1986 United Feature Syndicate, Inc.

OH NON!
8-9

OÙ SONT MES CLUBS?!
LÀ OÙ J'AI DÉCIDÉ D'ALLÉGER MA CHARGE

PASSÉ MAÎTRE DANS L'ART DE VOLER LES RÔTIES, GARFIELD S'APPRÊTE À RAFFINER SON ART
TIC
TIC
TIC
TIC
TIC

ZIP!
TOING!

TIC
TIC
TIC
TIC
TIC

TOING!
CLANG!
JIM DAVIS
8-10

PLOUF!
ODI
© 1986 United Feature Syndicate, Inc.

WHAM!
WHAM!
WHAM!
WHAM!

POURQUOI AVOIR FAIT CELA?
JE VOUS CONDITIONNE À DÉTESTER LES LUNDIS
JIM DAVIS
8-11

JE FERAIS PEUT-ÊTRE MIEUX DE MOINS BOIRE DE CAFÉ

LA CAFÉINE M'EMPÊCHE DE DORMIR

© 1986 United Feature Syndicate, Inc.
J'AI DÛ TOURNER ET ME RETOURNER PENDANT TROIS MINUTES HIER SOIR
8-12
JIM DAVIS

SLURP
JIM DAVIS

BONG!

8-13
© 1986 United Feature Syndicate,Inc.
RIEN NE GÂCHE AUTANT UN REPAS QU'UNE BOULETTE DE VIANDE SOLITAIRE QUI SE DÉCHAÎNE DANS UNE ASSIETTE DE SPAGHETTI

VIENS UN PEU ICI, GARFIELD
JIM DAVIS
8-14

CE SOIR, JE DORS AVEC MES CHAUSSETTES

© 1986 United Feature Syndicate,Inc.
HI! HI!
HA! HA! LA VIE EST HILARANTE QUAND ON LA PASSE AUPRÈS D'UN JOYEUX DRILLE COMME JON!

EUF
EUF
EUF

TCHIC

JIM DAVIS
8-15

HUMM
GARFIELD
BOUFFA CHA

Ingrédients: Il est préférable d'ignorer le contenu.
BOUFFA CHA
GARFIE
JIM DAVIS
8-16

CE QUE L'ON NE SAIT PAS NE PEUT NOUS FAIRE DE MAL, N'EST-CE PAS?
GARFIEL
BOUFFA CHA

DINKA

DINKA
DONKA

DINKA
DONKA
DUNKA

DINKA
DUNKA
DONKA
SPLUT

HÉ ODIE! VIENS ICI! J'AI UNE SURPRISE POUR TOI!
© 1986 United Feature Syndicate,Inc.

SERS-TOI UNE POINTE DE TARTE
JIM DAVIS 8-17

DINKA
DONKA
DUNKA
BONG!

JE SUPPOSE QUE C'EST GENTIL DE LA PART DE JON DE PERMETTRE AUX GAMINS DU QUARTIER DE JOUER DANS NOTRE COUR
© 1986 United Feature Syndicate,Inc.

BONK!

PAR CONTRE, LE FIL BARBELÉ A SES AVANTAGES
8-18
JIM DAVIS

ZUT! LES SOURIS ONT BOUFFÉ LES CÉRÉALES!
CÉRÉALES
GARFIELD
8-19

C'EN EST TROP! IL FAUT PASSER À L'ACTION!
CÉRÉALES
GARFIELD
JIM DAVIS

© 1986 United Feature Syndicate,Inc.
IL FAUT ACHETER UN CHAT!
GARFIELD

GARFIELD! IL Y A UN RAT À LA CAVE!
ALORS?
8-20
© 1986 United Feature Syndicate, Inc.

ALORS JE VEUX QUE TU LE CAPTURES

ENSUITE, QUE SUIS-JE CENSÉ FAIRE? EFFECTUER UNE ARRESTATION?
TU ES UN CAS DÉSESPÉRÉ. MAIS JE NE T'APPRENDS RIEN, NON?
JIM DAVIS

AS-TU L'INTENTION D'AGIR À PROPOS DE CE RAT À LA CAVE?
DE CE PAS!
JIM DAVIS

QUE VAS-TU FAIRE?
L'EMPOISONNER
GARFIELD
8-21
© 1986 United Feature Syndicate, Inc.

POURQUOI ME REVIENT-IL DE CAPTURER CE RAT? LES RATS SONT MÉCHANTS ET ONT DE LONGUES DENTS JAUNES
8-22

MINUTE PAPILLON! JE SUIS UN CHAT. UN PRÉDATEUR CARNIVORE ET FÉROCE

LE ROI DE LA JUNGLE!
MINET, MINET, MINET, ICI!
JIM DAVIS
© 1986 United Feature Syndicate,Inc.

AS-TU CAPTURÉ LE RAT, GARFIELD?
TU SAIS, JON, LES GENS DEVRAIENT DIALOGUER DAVANTAGE
8-23

LE RAT... AS-TU CAPTURÉ LE RAT?
ON VIENT À BOUT DE TOUT À CONDITION DE RAISONNER

QUE S'EST-IL PASSÉ?
JE LUI AI CONCÉDÉ UN TERRITOIRE
JIM DAVIS
© 1986 United Feature Syndicate,Inc.

JE HAIS LES ARAIGNÉES

WHAM!
AÏE!

EUF EUF OUILLE

PAPA! DIS QUELQUE CHOSE!
TON PÈRE EST MORT, FISTON. JE SUIS VEUVE À PRÉSENT

JE DEVRAIS M'ACCUSER D'ÊTRE UN SALAUD
© 1986 United Feature Syndicate, Inc.

MAIS J'ASSUME
WHAM!
AÏE!
OUILLE!
JIM DAVIS 8-24

VA CHERCHER LE JOURNAL GARFIELD
BOULOT! BOULOT! BOULOT! JE NE FAIS QUE ÇA!

QU'ADVIENDRAIT-IL SI JE PARTAIS ET NE REVENAIS PAS?
JIM DAVIS 8-25

NOUS ALLONS BIENTÔT LE SAVOIR

ODIE, VOILÀ DIX MINUTES QU'IL EST PARTI CHERCHER LE JOURNAL. VA À SA RECHERCHE!

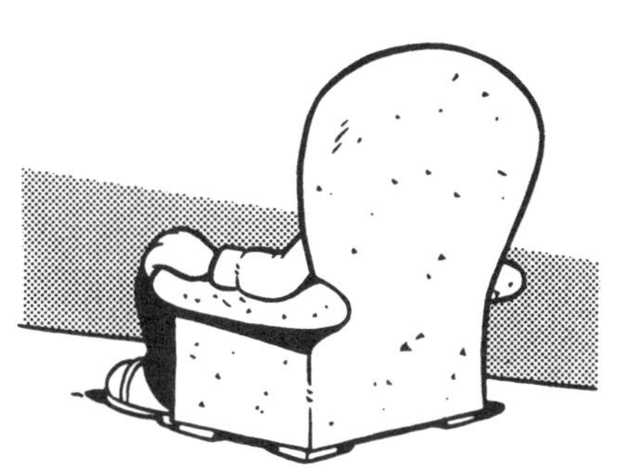

POURQUOI AI-JE LE SENTIMENT D'AVOIR SACRIFIÉ L'AGNEAU AU LOUP?
JIM DAVIS 8-26

FLÛTE! JE M'ENNUIE D'EUX!

QU'EST-CE QUE C'EST?!

OH OUI... LA TRANQUILLITÉ
JIM DAVIS 8-27

GARFIELD! ODIE?! OÙ ÊTES-VOUS?

C'EST BON LES AMIS! TRÈS DRÔLE. LA PLAISANTERIE EST TERMINÉE. REVENEZ!

HA!HA!HA!HA!HA!
FAIS VENIR LE PANIER À SALADE REBA! CE RIRE N'EST PAS NATUREL!
JIM DAVIS 8-28

ME VOICI ENFIN LIBRE D'AGIR À MA GUISE!
JIM DAVIS 8-29
© 1986 United Feature Syndicate,Inc.

JE ME SENS SI... SI...

LIBRE D'AGIR À MA GUISE!

SNIF SNIF SNIF
© 1986 United Feature Syndicate,Inc.

JIM DAVIS 8-30
MIUM MIUM MIUM

ALLÔ! LES ANNONCES CLASSÉES? NOTEZ CECI: «RECHERCHE MES DEUX PRÉCIEUX ANIMAUX FAMILIERS RÉPONDANT AUX NOMS DE 'GARFIELD' ET 'ODIE'. CONTACTEZ JON ARBUCKLE, 711 RUE DES TILLEULS. FORTE RÉCOMPENSE. JE RÉPÈTE: FORTE RÉCOMPENSE.»
LA FORTE RÉCOMPENSE INCITERA LES GENS À CHERCHER
CLIC
LE LENDEMAIN...
TIENS! VOICI MON ANNONCE! MON CHER JON, TU AS SONGÉ À TOUT
© 1986 United Feature Syndicate, Inc.

DING DONG
DE QUI PEUT-IL S'AGIR?
JIM DAVIS 8-31

HOLÀ SIMBA... EUH... JE VEUX DIRE ODIE
J'AI TROUVÉ GARFIELD ET ODIE, M'SIEUR
PEUT-ÊTRE AURAIS-JE DÛ PRÉCISER DAVANTAGE?

JE NE DEVRAIS PAS ME LAISSER BOULEVERSER PAR LE DÉPART DE GARFIELD ET DE ODIE. CAR ENFIN, CE NE SONT PAS DES MEMBRES DE LA FAMILLE OU DES PROCHES

IL EST PRÉCISÉMENT 22 HEURES. SAVEZ-VOUS OÙ SE TROUVENT VOS ENFANTS?

OUIN!
JIM DAVIS 9-1

JE ME SENS SEUL. J'AI LE SENTIMENT D'ÊTRE SEUL CONTRE LE MONDE ENTIER

GROWL

D'ACCORD, D'ACCORD... QUE NOUS SOMMES SEULS CONTRE LE MONDE ENTIER
JIM DAVIS 9-2

J'AI MAL PARTOUT
JOURNAL

JE POURRAIS DORMIR TOUTE UNE SEMAINE
JOURN

SI JE N'AVAIS PAS SOUS LES YEUX LES RABAIS DE LA BOUCHERIE HACHEZ
JOURNA
JIM DAVIS 9-3

JE M'ENNUIE DE LA MAISON. JE VAIS EMPLOYER MON SENS DE L'ORIENTATION POUR RENTRER CHEZ NOUS
JOURNA

JOURN

SI JE PARVIENS À M'ORIENTER VERS LA POSITION VERTICALE
JOURN
JIM DAVIS 9-4

ODIE, PETIT RUSÉ!
TE VOILÀ ENFIN!

ODIE A UN MODÈLE D'OREILLES
TRÈS COURANT
JIM DAVIS 9-5

LE LAITIER VINT À
PASSER

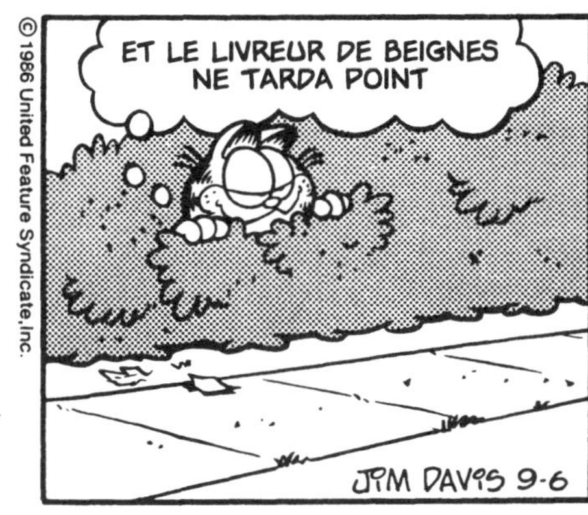
ET LE LIVREUR DE BEIGNES
NE TARDA POINT
JIM DAVIS 9-6

BONJOUR CHIEN-CHIEN!
TU ES PERDU?

JIM DAVIS 9-7

VEUX-TU ME SUIVRE À
LA MAISON?
© 1986 United Feature Syndicate, Inc.

HUM

VEUX-TU QUE JE FASSE DES NŒUDS
PLATS AVEC TES STUPIDES OREILLES
BATTANTES?

BIEN CE QUE JE PENSAIS!

MAMAN, VOIS LE TOUTOU QUE J'AI TROUVÉ! PUIS-JE LE GARDER?

IL N'EST PAS ENRAGÉ, AU MOINS?
NON, PAS ENRAGÉ

IL EST ÉCERVELÉ
JIM DAVIS 9-8
© 1986 United Feature Syndicate, Inc.

CHIEN-CHIEN, VEUX-TU DONNER UN BISOU À ÉGLANTINE?
JIM DAVIS 9-9
© 1986 United Feature Syndicate, Inc.

TOUCHANT, NON?
SLURP!

ÉGLANTINE, OÙ EST TON VISAGE?!

DOUX CHIEN-CHIEN, JE T'AIME TANT! GUILI-GUILI, BISOU, BISOU! JE POURRAIS TE SERRER TOUJOURS CONTRE MOI!

BONNE NUIT, CHIEN-CHIEN!

OUF!
JIM DAVIS 9-10

SNIF

LE PAUVRE CHIEN-CHIEN! JE PARIE QUE TU T'ENNUIES DE TON MAÎTRE ET QUE TU VOUDRAIS RENTRER CHEZ TOI, N'EST-CE PAS?

IL FAUDRA ME PASSER SUR LE CORPS AVANT!
JIM DAVIS 9-11

CHIEN-CHIEN, FAISONS COMME SI TU AVAIS CONVIÉ TES AMIS À UN THÉ
JIM DAVIS 9-12

À PRÉSENT, FAISONS COMME SI...

DE SANGLANTS MERCENAIRES FAISAIENT IRRUPTION DANS TON SALON!
© 1986 United Feature Syndicate, Inc.

BONNE NUIT CHIEN-CHIEN! TU TE PLAIS BIEN CHEZ MOI, N'EST-CE PAS?
JIM DAVIS 9-13
© 1986 United Feature Syndicate, Inc.

CHIEN-CHIEN?

MAMAN, RÉVEILLE LES CHIENS! IL Y EN A UN AUTRE QUI VIENT DE SAUTER LE MUR!

OH OH!
VOYEZ! UN CHAT À NOUS METTRE SOUS LA DENT

WOUF! WOUF!
HÉ MINUTE! IL ABOIE COMME UN CHIEN

EUF EUF EUF
IL SOUFFLE COMME UN CHIEN

BOUCLEZ-LA! LA FOURRIÈRE RAMASSE LES CHIENS ERRANTS!
WOUF! WOUF!

RONRON
GRATT GRATT
MIAOU
LA JUSTICE N'EST PAS DE CE MONDE
© 1986 United Feature Syndicate, Inc.
JIM DAVIS 9-14

JE COMMENCE À AVOIR FAIM. J'AI PEINE À L'ADMETTRE, MAIS JE VAIS DEVOIR TRAVAILLER. QUE PUIS-JE FAIRE?

EURÊKA!

SHOW-BUSINESS, ME VOICI ENFIN!
VOUS LÀ
JOIGNEZ LE CIRQUE
© 1986 United Feature Syndicate,Inc.
JIM DAVIS 9-15

JE VAIS TRAVAILLER DANS UN CIRQUE!
© 1986 United Feature Syndicate,Inc.
JIM DAVIS 9-16

JE DEVIENDRAI TRAPÉZISTE OU DOMPTEUR DE LIONS
RENSEIGNEMENTS

OU ENCORE CLOWN

ÉCOUTE BIEN CHATON! JE M'APPELLE TITOTO ET JE SUIS LE CLOWN EN CHEF ICI. NE L'OUBLIE JAMAIS
J'AURAIS DU MAL
JIM DAVIS 9-17

ET J'EXIGE LE RESPECT...

QUAND MON NEZ FAIT TSOIN-TSOIN, LES GENS ME PRÊTENT ATTENTION
IL EST CINGLÉ MAIS SON NEZ FAIT TSOIN-TSOIN

VOICI UNE BATTE POUR FLANQUER DES COUPS. IL N'Y A AUCUN DANGER À S'EN SERVIR

VAS-Y! FRAPPE-MOI AUSSI FORT QUE TU LE PEUX!
AVEC PLAISIR
WHAM!

LE SECRET EST DANS LE POIGNET
9-18
JIM DAVIS

MESDAMES ET MESSIEURS, VOICI MON ASSISTANT... ROTONDO LE CLOWN!
"ROTONDO"?
9-19
© 1986 United Feature Syndicate, Inc.

À PRÉSENT, ROTONDO RECEVRA UNE TARTE À LA CRÈME!
SPLUT!
JIM DAVIS

DE MON ASSISTANT, SOMBRIDIO LE CLOWN!
IL ME RAPPELLE QUELQU'UN

CE MÉTIER N'EST PAS POUR MOI. PARS-TU AVEC MOI, SOMBRIDIO?
PLOOP
© 1986 United Feature Syndicate, Inc.

ODIE!

HÉ! NOUS AVONS FUI LA MAISON POUR FUIR ENSEMBLE LE CIRQUE!

ODIE, SI NOUS NE TROUVONS PAS BIENTÔT QUELQUE CHOSE À MANGER, NOUS ALLONS PÉRIR DE FAIM

REGARDE! UNE FOURMILIÈRE!

EN CERTAINES RÉGIONS OÙ LA BOUFFE EST RARE, LES AUTOCHTONES SQUATTENT LES FOURMILIÈRES...

LORSQUE SORTENT LES FOURMIS, ILS LES SAISISSENT PAR LA TÊTE ET LES EMPILENT JUSQU'À CE QU'IL S'EN TROUVE ASSEZ POUR FAIRE UN REPAS!

BON APPÉTIT ODIE! RÉGALE-TOI

PENDANT QUE MOI, JE SQUATTE L'ENTRÉE DE CETTE BOUCHERIE!
© 1986 United Feature Syndicate Inc
JIM DAVIS 9-21

VOUS SEMBLEZ N'AVOIR PAS MANGÉ DEPUIS LONGTEMPS
NOUS SOMMES AFFAMÉS
© 1986 United Feature Syndicate,Inc.

ALLEZ! ENTREZ! JE VOUS SERS QUELQUE CHOSE
APRÈS TOI, ODIE

PET SHOP
ON RENCONTRE ENCORE DE BONS SAMARITAINS
JIM DAVIS 9-22

SALUT LES COPAINS! OÙ SOMMES-NOUS? À UNE FÊTE?
NON. DANS UNE ANIMALERIE
CLANG!

ON VOUS A PRIS PAR LE VENTRE. MAINTENANT VOUS ÊTES ENFERMÉS. ICI, RIEN À FAIRE SINON MANGER ET DORMIR

© 1986 United Feature Syndicate,Inc.
C'EST UNE MUSIQUE DOUCE À MES OREILLES
VOTRE AMI SEMBLE TRÈS BRAVE
JIM DAVIS
9-23

LA VIE DANS UNE ANIMALERIE N'EST PAS MAL. ON SE CROIRAIT EN CAMPING
© 1986 United Feature Syndicate,Inc.

ELLE A BIEN SES INCONVÉNIENTS, CROYEZ-MOI
PAR EXEMPLE

TU COUCHES AVEC LE LÉZARD
JE VOIS CE QUE VOUS DITES
JIM DAVIS 9-24

LA VIE DANS UNE ANIMALERIE EST DÉSHUMANISANTE
AUCUNE INTIMITÉ
LA SURPOPULATION EST DÉPLORABLE
AMEN
JIM DAVIS 9-25
© 1986 United Feature Syndicate,Inc.

JE VIENS LIVRER LES SOURIS, MME ERNSBERGER. OÙ DOIS-JE LES METTRE?

PAR ICI!
NOUS AVONS L'ESPACE!
NOUS NOUS EN CHARGEONS!
SOURIS

GARFIELD! ODIE!
LE CHAT ET LE CHIEN SE DÉTAILLENT 25 $ LA PAIRE
JON!
9-26
JPM DAVPS

JE VOUS EN DONNE 20 $
TU REGRETTERAS ÇA JON
© 1986 United Feature Syndicate, Inc.

QUELLE SURPRISE DE VOUS AVOIR RETROUVÉS DANS CETTE BOUTIQUE!

JE N'AURAIS JAMAIS SONGÉ À VOUS CHERCHER EN PAREIL ENDROIT
ALORS, QUE FAISAIS-TU...?

JE PRÉFÈRE L'IGNORER
© 1986 United Feature Syndicate, Inc.
JPM DAVPS 9-27

FANTASTIQUE DE RENTRER CHEZ SOI! CHEZ SOI, C'EST LÀ OÙ ON LAISSE SON CŒUR!

J'APPRÉCIE MÊME LES IMPERFECTIONS MINEURES QUI LUI DONNENT DU CHARME...

CETTE LATTE DU PARQUET QUI CRAQUE
CRI CRI

LES ROBINETS QUI GOUTTENT, LE PAPIER PEINT QUI SE DÉCOLLE

LA PEINTURE QUI PÈLE, LE TOIT QUI PREND L'EAU... LES TERMITES... BALIVERNES!
© 1986 United Feature Syndicate, Inc.

CETTE MAISON EST UN TROU À RATS!
9-28
JIM DAVIS

OUF! J'AI MAUVAISE HALEINE CE MATIN
JIM DAVIS
© 1986 United Feature Syndicate, Inc.

PROBABLEMENT À CAUSE DU SANDWICH QUE J'AI MANGÉ AVANT LE DODO

OU PEUT-ÊTRE CETTE MEULE DE FROMAGE DE CHÈVRE
9-29

OÙ SE TROUVE LE RINCE-BOUCHE CONTRE LA MAUVAISE HALEINE?

AH HA!
© 1986 United Feature Syndicate, Inc.

TON HALEINE EST BIZARRE
COMMENT SERAIT LA TIENNE SI TU TE GARGARISAIS AVEC DE LA LOTION APRÈS-RASAGE?
JIM DAVIS
9-30

IL Y A PLEIN DE TRUCS CHOUETTES LÀ-DEDANS

DU DÉSODORISANT. JE SAIS À QUOI ÇA SERT
10-1

© 1986 United Feature Syndicate,Inc.
PSCHITT
GARFIELD
JIM DAVIS

BZZZZ
JIM DAVIS
10-2

CLIC

© 1986 United Feature Syndicate,Inc.
TU T'AMUSES ENCORE AVEC MON RASOIR ÉLECTRIQUE, GARFIELD?
T'OCCUPES PAS

GARFIELD!
JIM DAVIS
10-3
© 1986 United Feature Syndicate, Inc.

TU PRENDS ENCORE MA BROSSE À DENTS!
J'UTILISE AUSSI TON FIL DENTAIRE

N'Y A-T-IL RIEN DE SACRÉ?!
OÙ EST CE RINCE-BOUCHE?

ZUT! QU'EST-IL ADVENU DU SIROP D'ÉRABLE?
© 1986 United Feature Syndicate, Inc.

JE ME SOUVIENS! LA BOUTEILLE DE SIROP ÉTAIT FÊLÉE...
10-4

JE L'AI VERSÉ DANS LA BOUTEILLE DE LOTION CAPILLAIRE DE JON
JIM DAVIS

AUJOURD'HUI, TU VAS PRENDRE DE L'EXERCICE GARFIELD
NON!

TU VAS PRENDRE DE L'EXERCICE, SINON...
NOUS SOMMES EN PAYS LIBRE; JE SUIS LIBRE D'ÊTRE EMPÂTÉ!
© 1986 United Feature Syndicate, Inc.

TU VAS JOGGER!
NON!

TU VAS JOUER AU TENNIS!
NON!
BONG!

TU VAS FAIRE DES TRACTIONS!
NON!
WHAM! WHAM! WHAM!

C'EST BON, TU GAGNES!
UNE VICTOIRE VIDE DE SENS, MAIS UNE VICTOIRE NÉANMOINS
JIM DAVIS
10-5

CE MACHIN A DES POSSIBILITÉS
THUD
JIM DAVIS 10-6
© 1986 United Feature Syndicate,Inc.

JIM DAVIS 10-7

VIVE LES RESTAURANTS QUI FONT LA LIVRAISON!
© 1986 United Feature Syndicate,Inc.

ZIP
JIM DAVIS 10-8

ZIP

© 1986 United Feature Syndicate,Inc.
ZIP

WHAM!

JIM DAVIS 10-9
© 1986 United Feature Syndicate,Inc.

RENDS-MOI ÇA!

JE SAIS QUOI FAIRE DE CE CHAR CONTRÔLÉ PAR RADIO

NOUS PRENDRONS DES PRISONNIERS
JIM DAVIS 10-10

UN CHAR MINIATURE! AMUSANT!
JIM DAVIS 10-11

WHAM!

NAVRÉ! MAIS NOUS AVIONS RAISON DE CROIRE QUE TON CASSOULET AU THON VENDAIT DES RENSEIGNEMENTS ULTRASECRETS À L'ENNEMI

GARFIELD, J'AVAIS L'INTENTION DE TE PROPOSER DE FAIRE UNE COURSE, MAIS TU ES TROP EMPÂTÉ POUR COURSER CONTRE UNE LIMACE

VRAIMENT? JE TE PRENDS AU MOT!
MON PLAN FONCTIONNE!
© 1986 United Feature Syndicate, Inc.

À VOS MARQUES! PRÊTS?

PARTEZ!
VLAN!

CLIC

POINT BESOIN DE COURSER QUAND ON PEUT SE MONTRER PLUS MALIN
JIM DAVIS 10-12

HÉ, GARFIELD, QUE PENSES-TU DU NOUVEAU PAPIER PEINT ?
JIM DAVIS
5-11

JE L'ADORE
© 1981 United Feature Syndicate, Inc.

SI J'ÉTAIS DU GENRE CRUEL, JE POUSSERAIS ODIE EN BAS DE LA TABLE
JIM DAVIS

MAIS JE NE LE SUIS PAS
5-12

PAR CONTRE, MON OURSON L'EST LUI
© 1981 United Feature Syndicate, Inc.

TRAVERSE LE RUISSEAU, GARFIELD
5-25
JIM DAVIS

JE NE COMPRENDS PAS POURQUOI LES CHATS ONT SI PEUR D'UNE PETITE MARE

TU AURAIS PEUR AUSSI SI TU DEVAIS TE LAVER AVEC TA LANGUE
© 1981 United Feature Syndicate, Inc.

C'EST NOTRE PREMIÈRE NUIT DE CAMPING, GARFIELD. PROFITES-EN
5-26
JIM DAVIS

ROAR!

TU EN PROFITES. JE T'ATTENDS DANS LA VOITURE

ENCORE TOI
ENCORE MOI
6-1
JIM DAVIS

NERMAL, LE PLUS MIGNON CHATON DU MONDE

MAINTENANT, TIENS-TOI LOIN, LE GROS, J'AI DES GENS À CHARMER
© 1981 United Feature Syndicate, Inc.

DEHORS!
JIM DAVIS
6-2

TU PEUX GRIFFER MON FAUTEUIL. TU PEUX INSULTER MA MÈRE. TU PEUX BATTRE MON CHIEN, ET TU PEUX JOUER AVEC MA SOURIS DE CAOUTCHOUC
© 1981 United Feature Syndicate, Inc.

MAIS TU NE MANGES PAS MA NOURRITURE ET TU NE DORS PAS DANS MON LIT
OUI, M'SIEUR

TAPE
TAPE
TAPE
JIM DAVIS

PUNT!
6-7
© 1981 United Feature Syndicate, Inc.

GARFIELD

GARFIELD, IL NE RESTE PLUS QU'À BRANCHER LA GUIRLANDE ÉLECTRIQUE

TCHIC

HUM... RIEN

JE VAIS VÉRIFIER LES CONNEXIONS

CLIC
JIM DAVIS 12-14
www.garfield.com

JE DOIS ABSOLUMENT AVOIR L'ADRESSE DE TON COIFFEUR
JE N'AI RIEN À TE DIRE

JIM DAVIS 12-15

J'AI FIXÉ LES GUIRLANDES DE NOËL SUR LE TOIT —
JE SAIS, LES ACTUALITÉS EN ONT PARLÉ !

LAISSES-TU UNE COLLATION POUR LE PÈRE NOËL ?
OH, BIEN SÛR !

UN VERRE DE BABEURRE ET UNE MOUCHE MORTE
BEEUURK !

DU BABEURRE ? !
JIM DAVIS 12-16

CE SAPIN A FIÈRE ALLURE !
AÏE !
À CE PRIX-LÀ, ON POURRA LE LAISSER JUSQU'EN JUILLET
POURQUOI PAS ?... QU'EST-CE QU'UN MOIS DE PLUS ?
JIM DAVIS 12-17
© 1997 PAWS, INC./Distributed by Universal Press Syndicate
www.garfield.com
UNNGH! EERRGH! GAAHH!
JON SE DÉBAT DEPUIS DES HEURES AVEC LE PIED DE L'ARBRE DE NOËL
JE RENONCE
BANG BONG BANG
NE ME RESTE PLUS QU'À TE DÉCORER
JIM DAVIS 12-18
© 1997 PAWS, INC./Distributed by Universal Press Syndicate
www.garfield.com

JE DÉPOSE TON CADEAU AU PIED DE L'ARBRE, SI TU PROMETS DE NE PAS L'OUVRIR
TU AS MA PAROLE
www.garfield.com

HA! HA! HA!
HA! HA! HA!
© 1997 PAWS, INC./Distributed by Universal Press Syndicate

JE VAIS LE CACHER
JE VAIS LE TROUVER
JIM DAVIS 12-19

www.garfield.com

© 1997 PAWS, INC./Distributed by Universal Press Syndicate
JIM DAVIS 12-20

JON
ODIE
GARF
IELD

Garfield

Garfield

Garfield

Garfield

HMMM
Garfield

SUFFIT POUR LA DÉMARCHE SCIENTIFIQUE
Garfield
JIM DAVIS 12-21

PARLE, SINON JE VAIS ME FÂCHER !

JOLI COUVRE-CHEF !
MERCI ! L'AI FAIT MOI-MÊME
© 1997 PAWS, INC./Distributed by Universal Press Syndicate

T'EN VEUX UN ?
BIEN SÛR

www.garfield.com
JIM DAVIS 12-22

UNE PETITE PESÉE ?
EUH... JE NE SAIS PAS
© 1997 PAWS, INC./Distributed by Universal Press Syndicate
www.garfield.com

ALLEZ MONTEZ ! LE TEMPS DES FÊTES, FAUT S'AMUSER !
BON, D'ACCORD

HO ! HO ! HO ! COMME VOUS ÊTES **GROS** !
JIM DAVIS 12-23

JE ME SOUVIENS DES NOËLS À LA FERME...
OH OH !

AU RÉVEILLON, NOUS CHANTIONS TOUS DES CANTIQUES AUTOUR DU SAPIN

ÉVIDEMMENT, LA VACHE NE MEUGLAIT QUE LALALA
UN DÉTAIL QUE JE M'EMPRESSE D'OUBLIER

PAIX SUR TERRE AUX HOMMES DE BONNE VOLONTÉ !

AUX CHIENS AUSSI !

NOËL PASSE TROP VITE. TOUT CE QU'IL ME RESTE, C'EST DE RECOMMENCER À ATTENDRE LE PROCHAIN
© 1997 PAWS, INC /Distributed by Universal Press Syndicate

www.garfield.com

JIM DAVIS 12-26

C'EST LE TEMPS DES RÉJOUISSANCES...
LE TEMPS DE L'ÉCHANGE, DE LA PAIX ET DE L'HARMONIE
www.garfield.com

TCHAC! TCHAC! BONG! Ouille! Ouille!
BONG! AÏE BOUM! BOUM! WHAM!

TOUT ÇA NE TIENT PLUS QUAND IL S'AGIT DU DERNIER BISCUIT
JIM DAVIS 12-27

www.garfield.com

GARFIELD, LE MOMENT EST DE NOUVEAU VENU

DE SORTIR MON PETIT CALEPIN SECRET...
© 1997 PAWS, INC /Distributed by Universal Press Syndicate
www.garfield.com

ET D'INVITER UNE DONZELLE POUR LA SAINT-SYLVESTRE
BOP BIP BOP
BIENVENUE DANS LE NÉANT VIA LE TÉLÉPHONE À TOUCHES

HELLO SANDRA ! VOUDRIEZ-VOUS M'ACCOMPAGNER À UNE SOIRÉE POUR... PARDON ? CE N'EST PAS LE BON NUMÉRO ?
www.garfield.com

EH BIEN, PUISQUE JE VOUS AI AU BOUT DU FIL, ÇA VOUS DIRAIT DE COMMENCER L'ANNÉE AU BRAS D'UN BEL HERCULE FRINGANT ?
© 1997 PAWS, INC /Distributed by Universal Press Syndicate

FLÛTE ! IL AVAIT UNE VOIX VRAIMENT AIGUË
OUPS !

CHERS AMIS,
EH BIEN, LA FIN DE L'ANNÉE APPROCHE ET QUELLE ANNÉE SUPER NOUS AVONS EUE

EUH...
© 1997 PAWS, INC /Distributed by Universal Press Syndicate

JIM DAVIS 12-31
www.garfield.com
UNE ANNÉE QUI DÉCLASSE TOUTES LES AUTRES. OUI MONSIEUR ! QUELLE ANNÉE SUPER NOUS AVONS EUE !
CE TEXTE A QUELQUES LONGUEURS

VOICI LA NOUVELLE ANNÉE GARFIELD !
© 1998 PAWS, INC /Distributed by Universal Press Syndicate

JE PRENDS LA RÉSOLUTION D'ÊTRE MOINS DÉBILE, PLUS SOPHISTIQUÉ
www.garfield.com

... DIT-IL EN BUVANT À LA PAILLE DU LAIT AU CHOCOLAT DANS SA TASSE À L'EFFIGIE DU ROI-LION
JIM DAVIS 1-1

QU'AS-TU FAIT POUR LE RÉVEILLON DU NOUVEL AN?

UNE PETITE SOIRÉE TÉLÉ
TU NE VEUX PAS SAVOIR CE QUE MOI J'AI FAIT ?
© 1998 PAWS. INC./Distributed by Universal Press Syndicate

NON
www.garfield.com
JIM DAVIS 1-2

UNE NOUVELLE ANNÉE
OUAIS
DÉCEMBRE
JIM DAVIS 1-3

ALORS, QU'ATTENDS-TU POUR ÔTER CE VIEUX CALENDRIER DE LÀ, ESPÈCE DE GROS IDIOT ?
OUAIS
DÉCEMBRE
© 1998 PAWS. INC./Distributed by Universal Press Syndicate

MOI ET MA GRANDE GUEULE
OUAIS
DÉCEMBRE
www.garfield.com

www.garfield.com

L'ANNÉE PASSÉE FUT UNE BONNE ANNÉE, GARFIELD

MAIS CETTE ANNÉE SERA ENCORE MEILLEURE !

OUILLE !
... JUSQU'À CE QUE M. CUILLER RENCONTRE M. ŒIL

ODIE DEVRAIT PROPAGER SA GAIETÉ AUTOUR DE LUI

PAF !

MAINTENANT, IL Y A DE LA GAIETÉ DANS LE SALON

JIM DAVIS 1-7
www.garfield.com

© 1998 PAWS, INC. Distributed by Universal Press Syndicate
UNE AUTRE TASSE ?
NON MERCI. LA MIENNE DEVRAIT ÊTRE DE RETOUR SOUS PEU

JE ME SENS UNE PULSION CRÉATRICE
© 1998 PAWS, INC./Distributed by Universal Press Syndicate

JE VAIS PEINDRE UN TABLEAU
www.garfield.com

PAR OÙ COMMENCER ?
COUPE-TOI UNE OREILLE
JIM DAVIS 1-8

JIM DAVIS 1-9

www.garfield.com
SONNE !
C'EST COMMENT, LE VENDREDI SOIR, CHEZ VOUS ?

CETTE COURONNE ME DONNE-T-ELLE LA PRESTANCE D'UN ROI ?

JOLI BIBI, GROS LARD

www.garfield.com
LA GUILLOTINE SERAIT TROP RAPIDE DANS SON CAS
JIM DAVIS 1-10

GAR

FI...

ELD! ®

POUF !

OOOH... JE PARIE QU'IL A MAL

PROUF !

PROMPT RÉTABLISSEMENT!
JIM DAVIS 1-11

UN FÉLIN AIME EXPLORER DES TERRITOIRES INCONNUS
RIEN DERRIÈRE MOI
ASSEZ EXPLORÉ POUR AUJOURD'HUI
JIM DAVIS 1-12
www.garfield.com
© 1998 PAWS. INC./Distributed by Universal Press Syndicate
GARFIELD, FAIS UN TRUC ET JE TE FILE UNE GÂTERIE
NE PEUX-TU AGIR NORMALEMENT ?
QUOI ? T'AS DÉJÀ VU CELUI-LÀ ?
JIM DAVIS 1-13
www.garfield.com
© 1998 PAWS. INC./Distributed by Universal Press Syndicate

MIAOU

MIAOU

QU'EST-CE QUE JE T'AI DIT GARFIELD ?
TU AS DIT "MIAOU", SOMBRE IDIOT !
JIM DAVIS 1-14

REGARDE UN PEU TOUS CES POILS DE CHAT !

HA !

CELUI-CI EST UN POIL DE CHIEN !
JIM DAVIS 1-15

VOILÀ DES HEURES QU'IL N'A PAS BOUGÉ
www.garfield.com

JE FAIS SEMBLANT D'ÊTRE UN CHAT
JIM DAVIS 1-16

SI T'ÉTAIS PAS SI LOIN, JE TE FRAPPERAIS

JE M'ÉTONNE QUE LES CHATS S'AMUSENT AVEC UNE PELOTE DE LAINE
www.garfield.com

ALORS, NOUS SOMMES DEUX
JIM DAVIS 1-17

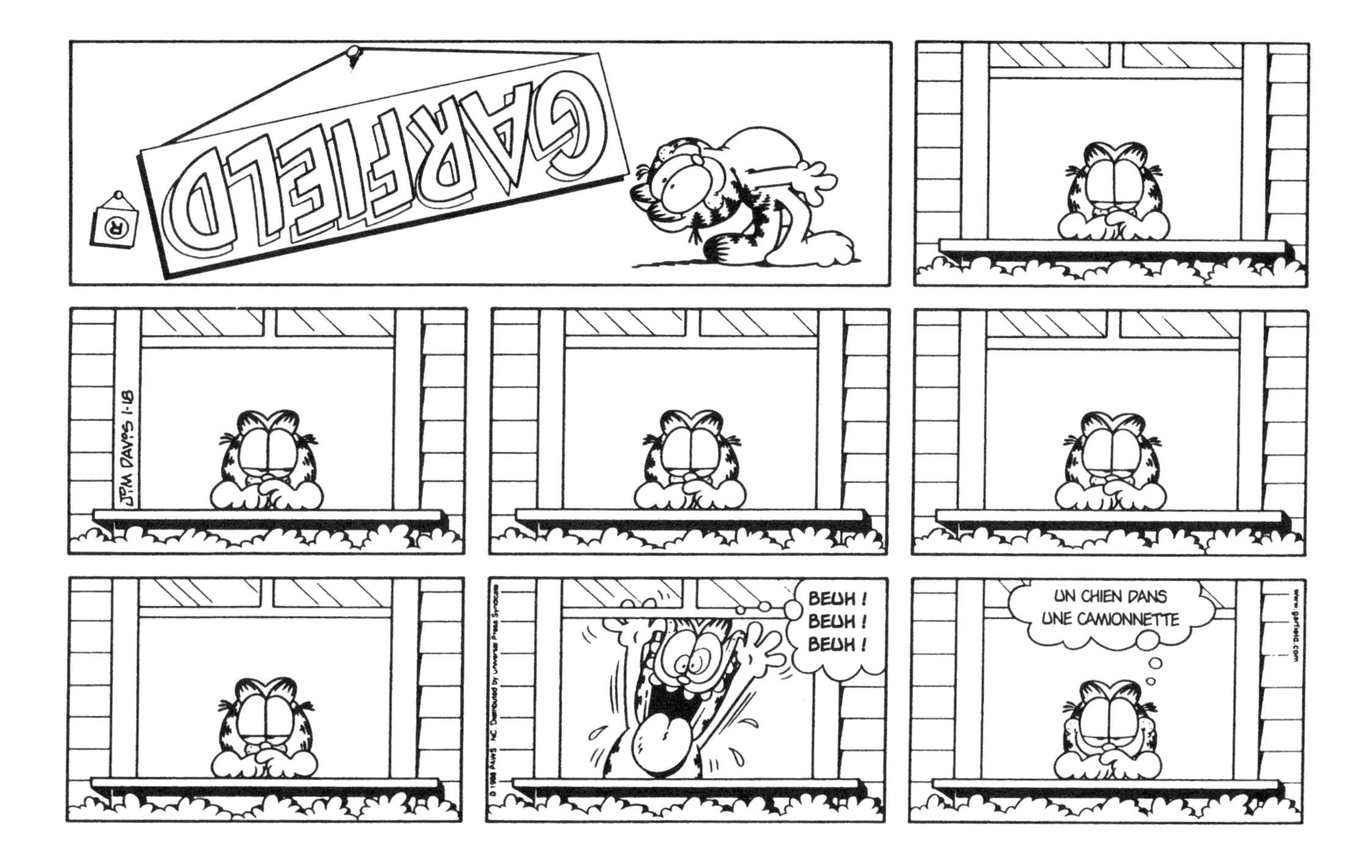
GARFIELD
JPM DAVPS 1-18
© 1998 PAWS, INC. Distributed by Universal Press Syndicate
BEUH !
BEUH !
BEUH !
UN CHIEN DANS
UNE CAMIONNETTE
www.garfield.com

UN PEU PLUS À GAUCHE...
UN PEU PLUS...
ET JUSTE UN PEU PLUS À DROITE...
À PRÉSENT, AVANCE LENTEMENT EN LIGNE DROITE
JIM DAVIS 1-19
© 1998 PAWS, INC /Distributed by Universal Press Syndicate
www.garfield.com
ODIE ! TU VAS ÊTRE EN RETARD AU TRAVAIL !
FILE VITE, MON BRAVE !
POURQUOI ODIE FAIT-IL DÉMARRER LA VOITURE ?
J'ADORE CE CHIEN
JIM DAVIS 1-20
© 1998 PAWS, INC /Distributed by Universal Press Syndicate
www.garfield.com

C'EST QUOI, CE FIL ?
UNE SORTE DE SOUVENIR
© 1998 PAWS. INC /Distributed by Universal Press Syndicate

www.garfield.com
ET OÙ SONT PASSÉES LES TENTURES ?
DANS CETTE GRANDE FENÊTRE, LÀ-HAUT DANS LE CIEL
JIM DAVIS 1-21

DES MIETTES !
© 1998 PAWS. INC /Distributed by Universal Press Syndicate

TU SAIS CE QUE ÇA SIGNIFIE, GARFIELD ?
OUI

www.garfield.com
IL Y A UN BEIGNET BLESSÉ QUELQUE PART ALENTOUR
JIM DAVIS 1-22

ÉCOUTE CECI, GARFIELD...
JIM DAVIS 1-23

"AVEZ-VOUS DES NARINES ? ÊTES-VOUS UN MAMMIFÈRE ? MARCHEZ-VOUS À LA VERTICALE ? LA SOLITUDE ME DÉSESPÈRE. TÉLÉPHONEZ-MOI AU 555-2..."
© 1998 PAWS, INC./Distributed by Universal Press Syndicate

ÇA PAR EXEMPLE ! C'EST MON ANNONCE
TÉLÉPHONE ! C'EST PEUT-ÊTRE TON JOUR DE CHANCE ?
www.garfield.com

L'AUTO NE DÉMARRE PAS
JIM DAVIS 1-24

ÉVIDEMMENT, ÇA VAUT MIEUX QU'HIER ALORS QU'ELLE NE S'ARRÊTAIT PAS
© 1998 PAWS, INC./Distributed by Universal Press Syndicate

TU DIS CELA COMME SI J'ÉTAIS LE SEUL CHAT QUI AURAIT PU TRAFIQUER LES FREINS
www.garfield.com

GARFIELD

ENDIMANCHÉ ET NULLE PART OÙ ALLER

MAMAN, LE CIRQUE EST EN VILLE!
© 1998 PAWS, INC./Distributed by Universal Press Syndicate

NON, MON CHÉRI
MAIS CE TYPE EST COSTUMÉ COMME UN CLOWN !

JIM DAVIS
1-25
ET VOICI L'UN DE CES PORCELETS SAVANTS !

NON, MON CHÉRI. C'EST JUSTE UN TYPE MAL HABILLÉ
OUAH !

www.garfield.com
AVEC UN CHAT OBÈSE
OUAH !

MONSIEUR, VOUS DEVRIEZ FROTTER VOTRE PANTALON À L'EAU DE SELTZ
LE PORCELET NE FERA QU'UNE BOUCHÉE DE TOI

RESTEZ À L'ÉCOUTE POUR "LE CHAT, MEILLEUR PRÉDATEUR DE LA CRÉATION"

HA!
© 1998 PAWS, INC /Distributed by Universal Press Syndicate
JIM DAVIS 1-26

QU'EST-CE QU'IL LUI PREND ?
www.garfield.com

GARE !
JIM DAVIS 1-27
www.garfield.com

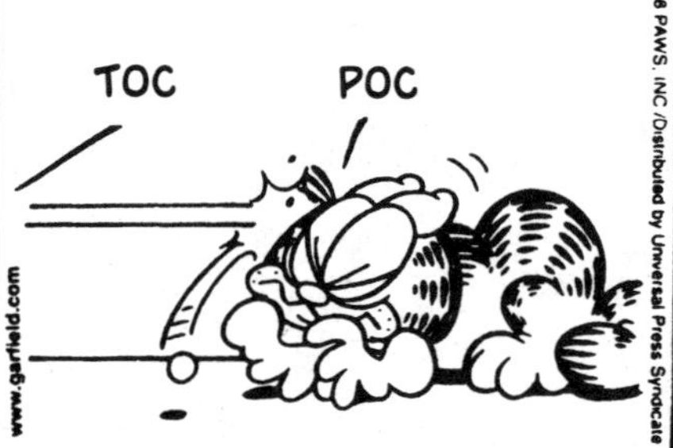
TOC
POC

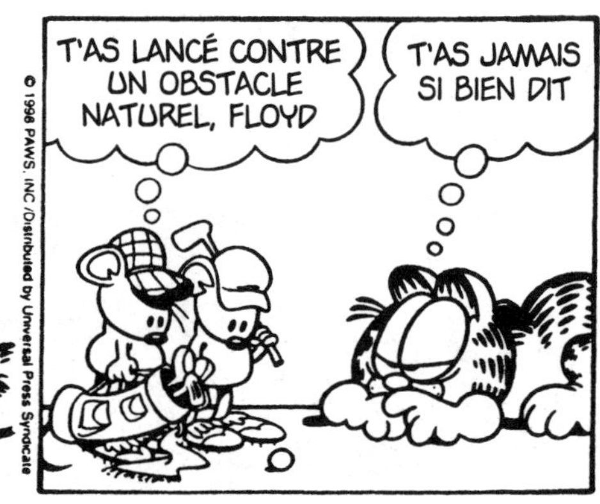
T'AS LANCÉ CONTRE UN OBSTACLE NATUREL, FLOYD
T'AS JAMAIS SI BIEN DIT
© 1996 PAWS, INC /Distributed by Universal Press Syndicate

JIM DAVIS 1-28
www.garfield.com
REGARDE ! UNE TARTE À LA CRÈME DE BANANE !
© 1998 PAWS INC Distributed by Universal Press Syndicate
ELLE A DISPARU, N'EST-CE PAS ?
QUELQU'UN A CHIPÉ MES CHOCOLATS
www.garfield.com
ET JE VEUX SAVOIR QUI !
JIM DAVIS 1-29
© 1998 PAWS INC/Distributed by Universal Press Syndicate
HÉ TOI !... CELLE QUI A DES BOUTONS !

BONNE NUIT !
BONNE NUIT !

GARFIELD!
© 1998 PAWS, INC./Distributed by Universal Press Syndicate

www.garfield.com
JIM DAVIS 1-30

QUE T'ARRIVE-T-IL ?
JIM DAVIS 1-31

© 1998 PAWS, INC./Distributed by Universal Press Syndicate
J'AI PERDU UN VERRE DE CONTACT

www.garfield.com
IL FAUT QUE TU RENDES LE SALADIER

GUM
GARFIELD

OH GARFIELD
JIM DAVIS 2-1

NOUS DEVONS DISCUTER
www.garfield.com

SOMBRE, PLUVIEUX, DÉPRIMANT...
AUSSI BIEN RETOURNER DORMIR
JIM DAVIS 2-2
© 1998 PAWS, INC /Distributed by Universal Press Syndicate
www.garfield.com
JE SUIS SI HEUREUX, J'EN PLEURERAIS
© 1998 PAWS, INC /Distributed by Universal Press Syndicate
www.garfield.com
JE SAVOURE LE MOMENT
JIM DAVIS 2-3

SI SEULEMENT JON ÉTAIT ICI
© 1998 PAWS, INC./Distributed by Universal Press Syndicate
www.garfield.com
JE DOIS M'IMPORTUNER MOI-MÊME
JIM DAVIS 2-4

MON GRAND-PÈRE ÉTAIT UN SAGE, GARFIELD
© 1998 PAWS, INC./Distributed by Universal Press Syndicate

IL M'A ASSIS SUR SES GENOUX ET M'A DIT : "JON..."

www.garfield.com
"ON NE TRAIT PAS UNE VACHE MORTE"
LA DÉBILITÉ SEMBLE GÉNÉTIQUEMENT TRANSMISSIBLE
JIM DAVIS 2-5

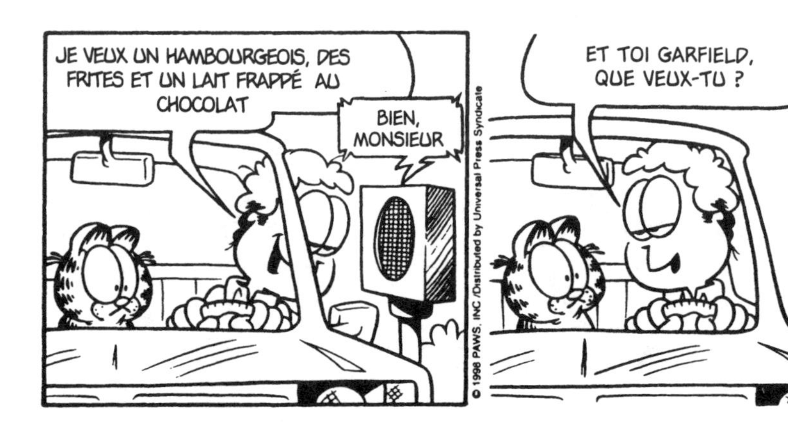
JE VEUX UN HAMBOURGEOIS, DES FRITES ET UN LAIT FRAPPÉ AU CHOCOLAT
BIEN, MONSIEUR
© 1998 PAWS, INC./Distributed by Universal Press Syndicate
ET TOI GARFIELD, QUE VEUX-TU ?
JIM DAVIS 2-6

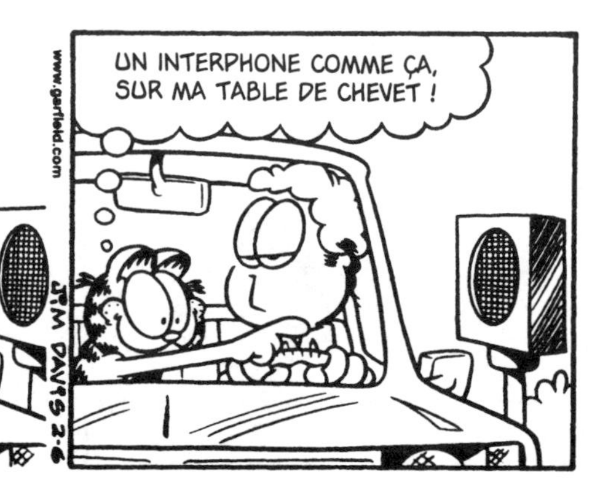
www.garfield.com
UN INTERPHONE COMME ÇA, SUR MA TABLE DE CHEVET !

© 1998 PAWS, INC./Distributed by Universal Press Syndicate
JIM DAVIS 2-7

www.garfield.com
AVEZ-VOUS DÉJÀ ÉTERNUÉ LA BOUCHE PLEINE DE CRAQUELINS ?

GARFIELD

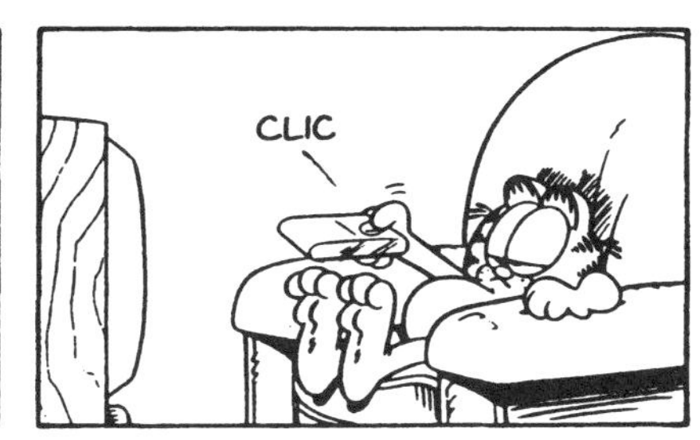
CLIC

JOHN...
MARSHA...

OH, JOHN
OH, MARSHA

JOHN, JOHN, JOHN
MARSHA, MARSHA, MARSHA

JOHN, JOHN, JOHN, JOHN
MARSHA, MARSHA, MARSHA, MARSHA, MARSHA

© 1988 PAWS INC /Distributed by Universal Press Syndicate
www.garfield.com
CLIC

GEORGE...
SHIRLEY...
JIM DAVIS 2-8

TU SAIS, GARFIELD...

J'AIME LES FEMMES IMPRESSIONNÉES PAR MON INTELLIGENCE

JIM DAVIS 2-9

DONC, TU AIMES LES FEMMES STUPIDES

HELLO TAMI ! ICI JON ARBUCKLE

JIM DAVIS 2-10

TU ES CENSÉE REFUSER APRÈS QUE JE T'AIE INVITÉE
ELLE PRÉFÈRE ALLER DROIT AU BUT

ALORS BERNADETTE, DÎNER AU RESTO ET CINÉ ?
JIM DAVIS 2-11
© 1998 PAWS, INC./Distributed by Universal Press Syndicate

... LUNCH ET VÉLO ?

www.garfield.com
... BISCUIT ET MOTS CROISÉS ?!
MIETTES DE GRILLE-PAIN ET BLAGUES DE MAUVAIS GOÛT ?

APPRENDS EN ME REGARDANT, GARFIELD
BIP BOP BIP
© 1998 PAWS, INC./Distributed by Universal Press Syndicate

HELLO LINDA ? ICI JON
JIM DAVIS 2-12
www.garfield.com

JE T'EN PRIE ! NE RACCROCHE PAS. OH NON ! JE T'EN SUPPLIE ! JE T'EN SUPPLIE ! JE T'EN SUPPLIE ! S'IL TE PLAÎT !
LEÇON TERMINÉE !

VOUS AIMEZ QU'UN HOMME SOIT MACHO ?
JE SUIS MACHO !
SAUF QUAND ON ME CHATOUILLE
CLIC
CLIC
JIM DAVIS 2-13
© 1998 PAWS, INC./Distributed by Universal Press Syndicate
www.garfield.com
AS-TU VU LES FLEURS QUE J'AI ACHETÉES POUR MIMI ?
MANGÉES !
ET LES BONBONS ?
MANGÉS !
ET LES BIJOUX ?
MIS EN GAGE POUR ACHETER PLUS DE FLEURS ET DE BONBONS
JIM DAVIS 2-14
© 1998 PAWS, INC./Distributed by Universal Press Syndicate
www.garfield.com

GARFIELD

Z

GARFIELD, RÉVEILLE-TOI !
C'EST L'HEURE DU DODO
Z

WHAM !
JIM DAVIS 2·15

TRENTE CM DE NEIGE SONT TOMBÉS CE MATIN
MAIS ELLE ÉTAIT CONCENTRÉE EN UNE TRÈS PETITE RÉGION
JE ME DISAIS AUSSI...
JIM DAVIS 2-16
© 1998 PAWS, INC./Distributed by Universal Press Syndicate
www.garfield.com
JIM DAVIS 2-17
UN CHOCOLAT CHAUD ?
QUI S'ÉTONNERA QUE JE LE GARDE PRÈS DE MOI ?

SAVEZ-VOUS POURQUOI LES CHATS ADORENT PATINER ?
ZZZZZZZ
www.garfield.com

SSSSSHHHHHHHH
JIM DAVIS 2-18
© 1998 PAWS, INC./Distributed by Universal Press Syndicate

À CAUSE DE NOS CRAMPONS INTÉGRÉS

GARFIELD!
JIM DAVIS 2-19
www.garfield.com

QUE FAIT CE BONHOMME DE NEIGE DANS MON LIT ?
© 1998 PAWS, INC./Distributed by Universal Press Syndicate

EUH... C'EST L'HEURE DE SA SIESTE

JIM DAVIS 2·20
© 1998 PAWS, INC./Distributed by Universal Press Syndicate
TAP
TAP
TAP
Z
www.garfield.com
JE SUIS NAVRÉ, MONSIEUR. MES EXCUSES AU PETIT TOMMY. CELA NE SE REPRODUIRA PLUS
JIM DAVIS 2·21
© 1998 PAWS, INC./Distributed by Universal Press Syndicate
HÉ-HO ! GARFIELD !
www.garfield.com
À PROPOS DE TON HOBBY...

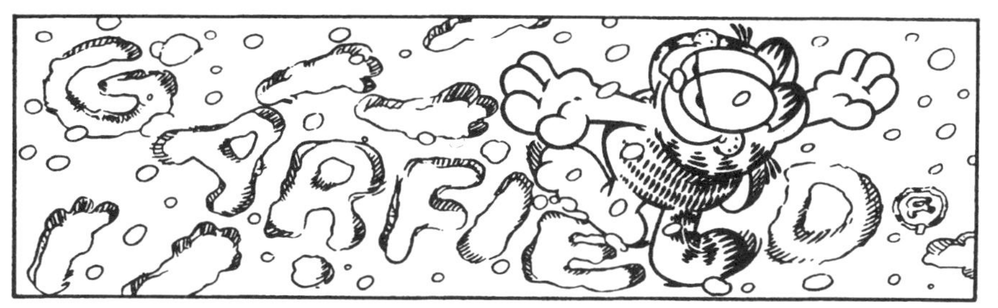
GARFIELD

TAP
TAP
TAP

HHUMM...

WHAM! WHAM! WHAM!
JIM DAVIS 2·22

DEUX MOTS À VOUS DIRE !

DEUX MOTS À TE DIRE !

DING DONG
VOICI LE FACTEUR

SPLAT
www.garfield.com
© 1998 PAWS, INC./Distributed by Universal Press Syndicate

GAR-FIELD!
S.V.P., IL ME FAUT UNE PETITE SIGNATURE
JIM DAVIS 2-23

PAUVRE GARFIELD ! IL N'A AUCUNE CHANCE CONTRE MOI
TAP TAP
JIM DAVIS 2-24
www.garfield.com

L'ÉLÉMENT SURPRISE JOUE EN MA FAVEUR
© 1998 PAWS, INC./Distributed by Universal Press Syndicate

IL NE SAURA JAMAIS D'OÙ LE COUP EST PARTI

SI TU LANCES CETTE BOULE, TU PEUX DIRE ADIEU À TA PÂTÉE
JIM DAVIS 2-25

ADIEU !

BONC !

OOUUUAAAAHHHHHH
DEUX OLIVES, UNE CAROTTE, UN BAC À GLAÇONS, UN PEU DE NEIGE, PLAISIR ASSURÉ !
JIM DAVIS 2-26

TRÈS JOLI. COMMENT L'APPELLES-TU ?

SPLOT

UNE RUSE FUTÉE
© 1998 PAWS, INC./Distributed by Universal Press Syndicate

JE RENONCE ! TU REMPORTES LE COMBAT !

JE NE SUIS PAS DE TAILLE CONTRE TOI. CESSONS-LE-FEU SUR-LE-CHAMP !
D'ACCORD
TWANG

MAIS ATTENDS QUE JE DÉCROCHE MES PIÈGES À CON
SPLOT
SPLOT
OUAAAH !
SPLOT

Garfield

© 1998 PAWS, INC./Distributed by Universal Press Syndicate

PROUF!

PIN-PON
PIN-PON
PIN-PON
www.garfield.com

PIN-PON
PIN-PON
PIN-PON

JIM DAVIS 5-1

Z

SLURRRP!

TE LÈVES-TU CE MATIN, GARFIELD ?
RÉVEILLE-MOI LORSQUE LES CHIENS SERONT UNE ESPÈCE DISPARUE

JE SORS AFIN DE COMMUNIER AVEC LA NATURE

BIEN

JE RESTE AFIN DE COMMUNIER AVEC LE TAPIS

HA ! HA ! VOYEZ CES OREILLES TOMBANTES !

REGARDEZ CES BAJOUES DÉGOULINANTES !

ET VOYEZ CETTE LONGUE PATTE
JIM DAVIS 3-4

ARRÊTE-MOI SI TU LA CONNAIS DÉJÀ
JIM DAVIS 3-5

UNE AUTRUCHE SE REND À LA GRANGE EMPORTANT UN SINGE SOUS SON AILE...

LA CONNAIS

IMPORTANTE SORTIE
CE SOIR, GARFIELD
JIM DAVIS 3-6
© 1998 PAWS, INC./Distributed by Universal Press Syndicate
J'IMAGINE
TCHIC!
TCHIC!
IL EMPLOIE LES ÉCHANTILLONS
D'EAU DE COLOGNE
TAP
TAP
www.garfield.com
PERSONNE NE
ME COMPREND
JIM DAVIS 3-7
© 1998 PAWS, INC./Distributed by Universal Press Syndicate
T'ES UN PORC
INGRAT
www.garfield.com
ENFIN, QU'EST-CE
QUE J'EN SAIS ?

GARFIELD

GARFIELD

GARFIELD

DRING
GARFIELD

HELLO JON ?
ICI LISA
GARFIELD

À QUELLE HEURE PASSES-TU ME PRENDRE, CE SOIR ?
GARFIELD

GARFIELD

... RENDEZ-VOUS AVEC UN ANGE...
PLUS MAINTENANT
JIM DAVIS 3-8

TU DEVRAIS APPRENDRE À APPRÉCIER LA BEAUTÉ DU MONDE EXTÉRIEUR

BONNE IDÉE !

PERCE UN PUITS DE LUMIÈRE JUSTE LÀ
www.garfield.com
JIM DAVIS 3-9

JE M'EN VAIS TRAVAILLER D'ARRACHE-PIED PENDANT QUE TU RESTES COUCHÉ À NE RIEN FAIRE

JE FAIS DU SARCASME
CE QUI N'EXCLUT PAS QUE CE SOIT UNE BONNE IDÉE !
www.garfield.com
JIM DAVIS 3-10

JE SONGE À PRENDRE LE LARGE ET PARTIR À L'AVENTURE
À MOINS QUE L'AVENTURE NE VIENNE À MOI
J'ESPÈRE QU'ELLE TÉLÉPHONERA AVANT POUR ME PRÉVENIR
JIM DAVIS 3-11
© 1998 PAWS, INC./Distributed by Universal Press Syndicate
www.garfield.com
J'AI IDÉE DE CE QUE NOUS POURRIONS FAIRE
WHAM
J'AI IDÉE DE CE QUE JE POURRAIS FAIRE
JIM DAVIS 3-12
© 1998 PAWS, INC./Distributed by Universal Press Syndicate
www.garfield.com

GARFIELD, IL Y A UNE SOURIS DANS LA CUISINE
DEMANDE-LUI DE M'APPORTER UN SANDWICH
ALORS ?
GARFIELD, TU ES CONGÉDIÉ !
ET PAS TROP DE MAYO
© 1998 PAWS, INC./Distributed by Universal Press Syndicate
www.garfield.com
JIM DAVIS 3-13
J'AI TANT MANGÉ, JE NE PEUX PLUS REMUER
C'EST POURQUOI J'AI CESSÉ DE MANGER
© 1998 PAWS, INC./Distributed by Universal Press Syndicate
www.garfield.com
JIM DAVIS 3-14

www.garfield.com
CLIC

JIM DAVIS 3-15

www.garfield.com

BANQUISE
À LA DÉRIVE

GARFIELD!
JIM DAVIS 3-16
© 1998 PAWS, INC./Distributed by Universal Press Syndicate

QU'EST-CE QUE C'EST QUE ÇA ?
www.garfield.com

UN GRATTE-DOS AVEC POILS DE CHAT ?

VEUX-TU FAIRE UNE PROMENADE ODIE ?
JIM DAVIS 3-17
© 1998 PAWS, INC./Distributed by Universal Press Syndicate

PROMENER ?
OUAIS !
OUAIS !
PRO-ME-NER, HEIN ?
OUAIS !
www.garfield.com

REVIENS VITE !

J'AI COMMENCÉ
SANS TOI

DEVINE
QUEL EST
TON POIDS !
OUAIS !

T'ES PLEIN
DE LARD !

ALLONS MONTE
ET VOYONS SI
J'AI RAISON
HUM...
DEUX INSULTES
AU PRIX D'UNE

VOICI VENIR LE CHAT FÉROCE !
BOUF BOUF BOUF BOUF BOUF BOUF BOUF BOUF BOUF
© 1998 PAWS, INC./Distributed by Universal Press Syndicate
JIM DAVIS 3-20
www.garfield.com
DING-DONG
LA NANA EST ARRIVÉE ET J'AI CACHÉ SON PEIGNE !
J'AI TROUVÉ, GARFIELD !
JIM DAVIS 3-21
© 1998 PAWS, INC./Distributed by Universal Press Syndicate
JE VAIS M'EMPIFFRER DE BANANES....
www.garfield.com
ET TU VAS ME CHATOUILLER !
ENNUI, QUAND TU NOUS TIENS

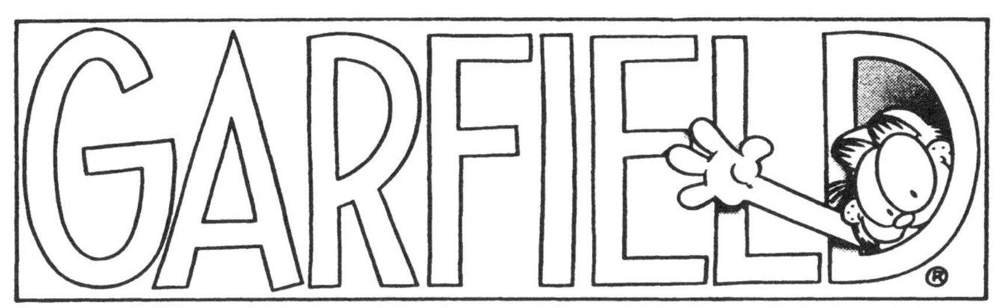
GARFIELD®

BZZZZZZZZ

EEEEEEEYAAAHHH

WOUCHE
WOUCHE
WOUCHE
WOUCHE
WOUCHE
WOUCHE
PROUF!
WHOP
BOUM!
CROUCH!
WHAM!
www.garfield.com

BZZZZ
JIM DAVIS 3-22

EEEYAAAAHHHH

WOUCHE
WOUCHE
WOUCHE
WOUCHE
WOUCHE
WOUCHE
KSSS
TCHIC!
SALE AFFAIRE, QUE L'OBSESSION !
BOUM!
PROUF!
CROUCH!

DING DONG
?
POURQUOI N'Y AI-JE PAS SONGÉ PLUS TÔT ?
ZZZZZZZZZZZZZ
JIM DAVIS 3-23
© 1998 PAWS, INC./Distributed by Universal Press Syndicate
www.garfield.com
JIM DAVIS 3-24
ZZZZZZZZZ
EUF
EUF
EUF
© 1998 PAWS, INC./Distributed by Universal Press Syndicate
www.garfield.com

JE VAIS ATTIRER LA MOUCHE EN PORTANT CE MASQUE
www.garfield.com
JIM DAVIS 3-25

MOU-MOUCHE, PAR ICI !

TCHAC

© 1998 PAWS, INC./Distributed by Universal Press Syndicate
CHIEN IDIOT !

JIM DAVIS 3-26
DONC, TU VEUX FAIRE ZIGOUILLER UNE MOUCHE ? CAUSONS MODALITÉS...
© 1998 PAWS, INC./Distributed by Universal Press Syndicate

JE TRAVAILLE SEUL ET JE PRENDS CINQUANTE POUR CENT

www.garfield.com
AGIS RAPIDEMENT ET LA MOUCHE ENTIÈRE EST À TOI
GUIDO AIME CE QUE GUIDO ENTEND

QU'EST-IL ADVENU DE CETTE MOUCHE AGAÇANTE ?
www.garfield.com

BURP

EXCUSEZ-MOI !
LA RÉPONSE À TA QUESTION
JIM DAVIS 3-27
© 1998 PAWS, INC./Distributed by Universal Press Syndicate

TCHAC !
JIM DAVIS 3-28
© 1998 PAWS, INC./Distributed by Universal Press Syndicate

PLOUP
www.garfield.com

www.garfield.com

HELLO ARBRE !
HELLO CHAT !

QUE DIRAIS-TU DE GRIMPER AU NOUVEAU MOI ?
COMMENT CELA ?
www.garfield.com

C'EST LE PRINTEMPS. MON ÉCORCE EST NEUVE...
AH HAN...
JIM DAVIS

DE NOUVELLES BRANCHES, DE NOUVELLES FEUILLES...
AH HAN... AH HAN...
3-29

DE NOUVEAUX NIDS PLEINS D'OISILLONS...
© 1998 PAWS INC. Distributed by Universal Press Syndicate

ET LES MÊMES VIEUX MENSONGES
HÉ

VOICI UNE CHOSE À LAQUELLE ON NE RÉFLÉCHIT JAMAIS...
© 1998 PAWS, INC./Distributed by Universal Press Syndicate

TU TE RENDS COMPTE ? LE SEPTIÈME DE NOTRE VIE EST CONSACRÉ AUX LUNDIS

PFFT ! J'AI LE PALAIS TOUT NOIR À PRÉSENT !
C'EST QUE L'ENCRE DU PAPIER JOURNAL DÉTEINT
www.garfield.com
JIM DAVIS 3-30

JE DOIS UNE EXCUSE À ODIE
© 1998 PAWS, INC./Distributed by Universal Press Syndicate

HOUP
PROUF!
www.garfield.com

À PRÉSENT, JE LUI EN DOIS DEUX
JIM DAVIS 3-31

QUELQU'UN A MIS DU SAVON À VAISSELLE DANS MON RINCE-BOUCHE

TU NE SAURAIS PAS QUI, PAR HASARD ?
OUAH...

ALORS ? !
JE ME MIRE SUR TES DENTS
JIM DAVIS 4-1
www.garfield.com

JIM DAVIS 4-2

PAS SI MAL, CE KETCHUP GLACÉ

NOUS NÉGLIGEONS DEPUIS TROP LONGTEMPS D'ALLER À L'ÉPICERIE

C'EST VENDREDI SOIR ET JE DOIS SORTIR !
JE NE SUIS PLUS ICI !
JE SUIS PARTI FAIRE DES CHOSES TRÉPIDANTES !
CACHE-TOI DERRIÈRE LES TENTURES. TU POURRAS ME BERNER
JIM DAVIS 4-3
www.garfield.com
© 1998 PAWS, INC /Distributed by Universal Press Syndicale
AH ! LA PREMIÈRE FLEUR DU PRINTEMPS !
TCHIC!
MIAM!
!
À PRÉSENT, TROUVONS CETTE FAMEUSE PREMIÈRE HIRONDELLE
JIM DAVIS 4-4
www.garfield.com
© 1998 PAWS, INC /Distributed by Universal Press Syndicale

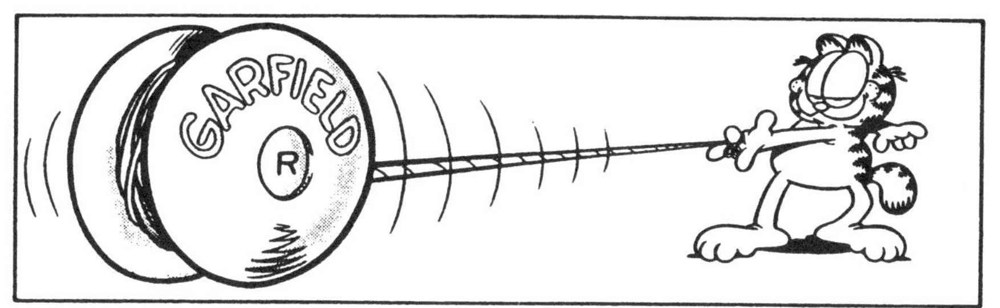
GARFIELD
R

QUE CE SOIT CONVAINCANT !

À L'AIDE !
GRRRR!
© 1998 PAWS, INC./Distributed by Universal Press Syndicate
www.garfield.com

SCRIIII

IMPOSSIBLE DE T'ÉCHAPPER CETTE FOIS !

BRAVO!
JIM DAVIS 4-5

MERCI ! MERCI !
QUE D'ÉLOGES !

LES CHATS SONT DE MYSTÉRIEUSES CRÉATURES

QUELQU'UN, IL Y A LONGTEMPS, A PERDU LE MANUEL D'UTILISATION

JE N'AI PERDU QU'UN POIL CET APRÈS-MIDI

MAIS LA MATINÉE FUT BIEN REMPLIE

JIM DAVIS 4-8
© 1998 PAWS, INC /Distributed by Universal Press Syndicate

OH NON !
www.garfield.com

JE ME SERS DE LA BROSSE DU CHAT !
JE NE HURLE PAS COMME ÇA QUAND JE PRENDS SA BROSSE À DENTS

REGARDE TOUS CES POILS DE CHAT !
JIM DAVIS 4-9
© 1998 PAWS, INC /Distributed by Universal Press Syndicate

EN QUOI CELA TE CONCERNE-T-IL ?
www.garfield.com

C'EST MOI QU'ILS SEMBLENT SUIVRE

TU AS LA PANSE BIEN REMPLIE, GARFIELD
© 1998 PAWS, INC./Distributed by Universal Press Syndicate

TU VIENS SÛREMENT DE CHASSER
www.garfield.com

APRÈS AVOIR GUETTÉ TA PROIE DE LONGUES HEURES
FENDU LES PNEUS D'UN LIVREUR DE BEIGNETS
JIM DAVIS 4-10

COMMENT VAS-TU ?
ZUT ALORS !
© 1998 PAWS, INC./Distributed by Universal Press Syndicate

M'AS FAIT PERDRE MA CONCENTRATION !
www.garfield.com

IL ME FAUT RECOMMENCER À MUER DEPUIS LE DÉBUT !
JIM DAVIS 4-11

GARFIELD®

GARFIELD

PETIT DÉJEUNER !
GARFIELD

GARFIELD

GARFIELD
www.garfield.com

GARFIELD

GARFIELD
JIM DAVIS 4-12

DÉJEUNER !
EUF
GRATT
GRATT
GARFIELD

DRRIIIINNG
JIM DAVIS 4-13
© 1998 PAWS. INC./Distributed by Universal Press Syndicate

PROUF!

www.garfield.com
JE DÉTESTE LES MATINS
CE N'EST PAS CE QUE JE PRÉFÈRE, NON PLUS

ESSAIE D'ÊTRE PLUS AGAÇANT ENCORE !
JIM DAVIS 4-14
© 1998 PAWS. INC./Distributed by Universal Press Syndicate

www.garfield.com
JE L'AI BIEN CHERCHÉ

JIM DAVIS 4-15
HÉ GROS-LARD ! TU ME FAIS DE L'OMBRE !

BOUGE DE LÀ, BALEINE ÉCHOUÉE !

ALORS QUOI, GROS, GRAS ET SOURD ?
LE SOLEIL NE BRILLERA PLUS LONGTEMPS POUR ELLE

OÙ EST LA TARTE ? !

C'EST LA CINQUIÈME CETTE SEMAINE !

HÉ ! IL Y A UN TUNNEL DANS LE FOUR !
MÉTRO POUR SOURIS !
JIM DAVIS 4-16

TU ANNULES NOTRE SOIRÉE ? MAIS J'AI RÉSERVÉ CHEZ "PRÉS ET MARÉE"
© 1998 PAWS, INC /Distributed by Universal Press Syndicate

BIEN SÛR, JE COMPRENDS...
JIM DAVIS 4-17

www.garfield.com
NON, GARFIELD
MOO

IL FAUT DU TALENT POUR BIEN LÉCHER UN CORNET DE CRÈME GLACÉE
JIM DAVIS 4-18
© 1998 PAWS, INC /Distributed by Universal Press Syndicate

IL FAUT DE L'ÉQUILIBRE

www.garfield.com
ET UNE BONNE COORDINATION ENTRE LE CORNET ET LA BOUCHE
JE NE VOIS PLUS RIEN !

GARFIELD®

HÉ ! GROSSE ORANGE AFFREUSE ! JE NE TE CRAINS PAS !

WHAM!

QU'ESSAIES-TU LÀ ? ... ME CHATOUILLER ?
www.garfield.com

WHAM!
WHAM!
WHAM!

... C'EST CE QUE TU PEUX FAIRE DE MIEUX, GROS-LARD ?

WHAM!
WHAM!
WHAM!
WHAM!
WHAM!
WHAM!

AL, EST-CE QUE ÇA VA ? RÉPONDS-MOI !

CE SÉMINAIRE D'AFFIRMATION DE SOI N'ÉTAIT PAS UNE BONNE IDÉE
JIM DAVIS 4·19

JE ME SUIS COUPÉ EN OUVRANT TA BOÎTE DE PÂTÉE

C'ÉTAIT AFFREUX. J'AI PERDU QUANTITÉ DE SANG ET J'AI FAILLI M'ÉVANOUIR

MAIS T'AS OUVERT LA BOÎTE, PAS VRAI ?
JIM DAVIS 4-20

JE NE ME COUPERAI PLUS EN OUVRANT DES BOÎTES DE PÂTÉE POUR CHATS

DÉSORMAIS, TU MANGERAS DES CROQUETTES EN SAC
MIAM

AÏE!
COUPURE DE PAPIER
JIM DAVIS 4-21

DEPUIS CE MATIN, MA CHEMISE EST À L'ENVERS. MAIS PERSONNE N'A REMARQUÉ
JON, TOUS ONT REMARQUÉ
TAP TAP
PERSONNE NE S'EN SOUCIE
JIM DAVIS 4-22
AS-TU POUSSÉ MON LIT PAR LA FENÊTRE ?!
NAVRÉ !
PAS VOULU TE RÉVEILLER
JIM DAVIS 4-23

TCHAC!

JIM DAVIS 4-24

J'AI EU UN CORNET DE CRÈME GLACÉE

PAS ASSEZ LONGTEMPS POUR LE MANGER, BIEN ENTENDU
REVIENS-EN !
JIM DAVIS 4-25

GARFIELD

OUI, GARFIELD...

QUELQUE PART, IL SE TROUVE UNE FILLE POUR MOI !
JIM DAVIS 4·26
© 1998 PAWS, INC./Distributed by Universal Press Syndicate

www.garfield.com

J'AI COMPRIS !

© 1998 PAWS, INC./Distributed by Universal Press Syndicate

MES DEUX BRAS SONT DANS LA MÊME MANCHE !
www.garfield.com

MIEUX VAUT CONTINUER MA ROUTE !
JIM DAVIS 4-27

IL MANQUE UNE CHOSE AUX CHIENS
YIP!
YIP!
YIP!
© 1998 PAWS, INC./Distributed by Universal Press Syndicate

YIP!
YIP!
YIP!
YIP!
www.garfield.com

UN INTERRUPTEUR
YIP!
YIP!
YIP!
YIP!
JIM DAVIS 4-28

IMPOSSIBLE DE DÉCRIRE À QUEL POINT CE PLAT EST MAUVAIS

MIAM!
© 1998 PAWS, INC./Distributed by Universal Press Syndicate
JIM DAVIS 4-29
www.garfield.com

BEL ESSAI !

JIM DAVIS 4-30

© 1998 PAWS, INC./Distributed by Universal Press Syndicate
NE T'AVISE PAS DE ME MANGER !
www.garfield.com

RIEN DE TEL (BURP) QU'UN POISSON DÉFIANT

TWANG
TCHOUF !
JIM DAVIS 5-1

HAN ! ENCORE MANQUÉ ! ÇA FAIT QUATRE !

À MON TOUR D'ÊTRE GUILLAUME TELL
VIVE LE VENDREDI SOIR !

plip

BZZZZZZZZZ

JOURNAL DE MOUCHE
JIM DAVIS 5-2

Garfield

BIP
BIIP
BOP

MONIQUE ? ICI JON ARBUCKLE !

NOUS ALLIONS À L'ÉCOLE ENSEMBLE. AUX COURS DE MATHS ET D'ANGLAIS

EUH, OUI. C'EST MOI QUI DÉAMBULAIS DANS LES COULOIRS EN CRIANT "MONIQUE, POILS DE BIQUE !"
JIM DAVIS 5-3

BIEN... JE ME DEMANDAIS SI T'AVAIS ENVIE DE SORTIR AVEC MOI
www.garfield.com

CLIC

PARDI ! TU PARLES D'UNE RANCUNIÈRE
ET JE PARIE QUE ÇA NE VA PAS S'ARRANGER DE SITÔT

VOICI BIFF, MON NOUVEAU STAGIAIRE
www.garfield.com

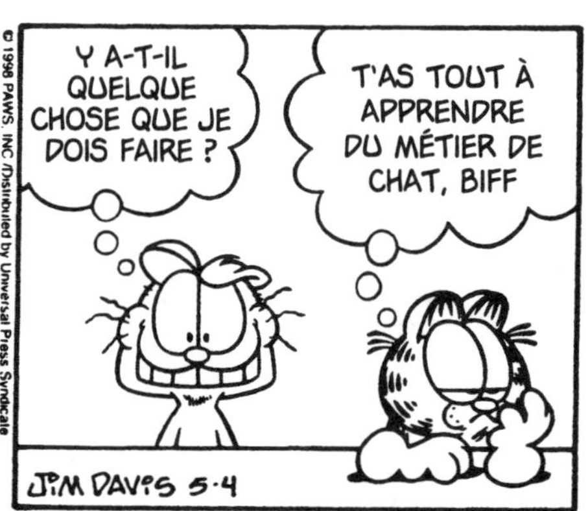

Y A-T-IL QUELQUE CHOSE QUE JE DOIS FAIRE ?
T'AS TOUT À APPRENDRE DU MÉTIER DE CHAT, BIFF
JIM DAVIS 5-4

ALORS, STAGIAIRE BIFF, SAIS-TU CE QU'UN CHAT EST CENSÉ FAIRE D'UNE PELOTE DE LAINE ?
JIM DAVIS 5-5
www.garfield.com

TRICOTER UN PULL ET LE VENDRE POUR ACHETER DE LA BOUFFE ?

DIRE QUE J'AI LANCÉ UNE RÉPONSE AU HASARD
IL ME PLAÎT BIEN, CE GAMIN

© 1998 PAWS, INC /Distributed by Universal Press Syndicate

N'OUBLIE PAS BIFF : UN CHAT NE PEUT PAS ÊTRE TROP FEIGNANT
JIM DAVIS 5-6
www.garfield.com

© 1998 PAWS INC /Distributed by Universal Press Syndicate
DÉSOLÉ, MAIS JE N'ÉCOUTAIS PAS
BRAVO !

QUE DOIS-JE FAIRE, MONSIEUR
EXERCE TON REGARD MENAÇANT
© 1998 PAWS, INC /Distributed by Universal Press Syndicate

TOUT DE SUITE, MONSIEUR
TRÈS BIEN
www.garfield.com

QUI ES-TU ET QUE VEUX-TU ?
CRAINS-MOI, MONSIEUR
JIM DAVIS 5-7

AH ! LA FRAGILE FLUORESCENCE DU PAPILLON...
QUE DIRE DU MAGNIFIQUE PAPILLON ?
QU'IL A LE GOÛT DU POULET ?
© 1998 PAWS, INC./Distributed by Universal Press Syndicate
www.garfield.com
JIM DAVIS 5-8
J'ATTENDS UN APPEL IMPORTANT
À TABLE !
BINGO !
JIM DAVIS 5-9
© 1998 PAWS, INC./Distributed by Universal Press Syndicate
www.garfield.com

GARFIELD
®

ALORS, COMBIEN DE CARTES ?
TROIS

... ET LE DONNEUR EN PREND UNE

JE PARIE DEUX JETONS
BING
BING

www.garfield.com

ANNONCE ET AUGMENTE LA MISE
JIM DAVIS 5-10

JE RÂLERAI QUAND IL CESSERA DE GAGNER
© 1998 PAWS, INC./Distributed by Universal Press Syndicate

SLURP
JIM DAVIS 5-11

ZOING

COMBIEN DE CUILLERÉES DE CAFÉ AS-TU MIS ?
CUILLERÉES ?
COFFEE

MERCI DE M'AVOIR PRÊTÉ TON STYLO

DOMMAGE QU'IL NE CONTIENNE PLUS D'ENCRE !

JIM DAVIS 5-12

UN INSTANT, JE GRELOTTE, L'INSTANT D'APRÈS JE SUIS EN SUEUR
www.garfield.com

JE VAIS ALLER M'ÉTENDRE UN MOMENT

LES JOIES DU THERMOSTAT
© 1998 PAWS. INC./Distributed by Universal Press Syndicate
JIM DAVIS 5-13

QU'EST-IL ADVENU DE LA DERNIÈRE POINTE DE TARTE QUE JE GARDAIS POUR CE SOIR ?
www.garfield.com

T'ES MIGNON QUAND T'ES IDIOT
TAP TAP
© 1998 PAWS. INC./Distributed by Universal Press Syndicate
JIM DAVIS 5-14

NOUS REVOILÀ VENDREDI SOIR ET JON N'A AUCUN RENDEZ-VOUS GALANT ! SAVEZ POURQUOI ?

SUIS-JE PLUS SEXY AVEC CES FAUSSES LÈVRES EN CIRE ?

HÉ !...

RIEN NE DURE TOUJOURS

SAUF CE QUI SE TROUVE AU FOND DU FRIGO

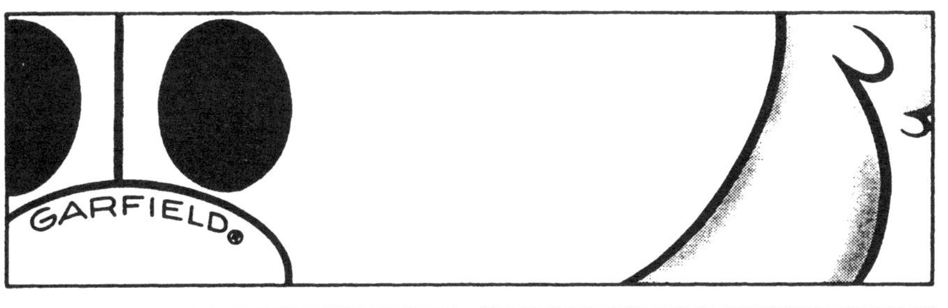
GARFIELD®

J'ENTENDS DES PAS

VOICI LE CHAT QUI VIENT

HÉ GRAS-DOUBLE ! NOUS N'AVONS PAS PEUR DE TOI, NOUS SOMMES PLUS NOMBREUSES !

ENSEMBLE, NOUS VAINCRONS, PAS VRAI, L'AMIE ?

L'AMIE ?
JIM DAVIS 5-17

WHAM!

ÇA VA ?
VA T'ÉCRASER CONTRE UN PARE-BRISE

GARFIELD, TU NE SONGES QU'À BOUFFER

MOI, JE LIS UN ROMAN

"MOBY DICK"
IL NE RESTE PLUS DE SAUCE TARTARE
JIM DAVIS 5-18

JE NE VEUX PAS ÊTRE DÉRANGÉ

COMME TU VEUX

JE VAIS FAIRE LE GUET
JIM DAVIS 5-19

LE FANTÔME SE RAPPROCHAIT DE PLUS EN PLUS...

SOUDAIN, IL... LE SAISIT !

AIEEE !
CE PASSAGE L'EFFRAIE CHAQUE FOIS
JIM DAVIS 5-20

C'EST LA BIO D'UN HOMME TRÈS BRAVE

IL N'EST PAS PLUS BRAVE QUE TOI, JON

MON DÎNER RETARDE DE CINQ MINUTES
JIM DAVIS 5-21

C'ÉTAIT LA REVUE DE FIN D'ANNÉE SCOLAIRE
© 1998 PAWS, INC./Distributed by Universal Press Syndicate

"HOMMAGE AUX REPRODUCTEURS DE LA RÉGION"
ALBUM

www.garfield.com
J'ÉTAIS LE SOURIANT PRÉPOSÉ À LA PORCHERIE
ET IL RACONTE ÇA À TOUT LE MONDE !
JIM DAVIS 5-22

ON PARLE D'UN CHAT QUI PRÉDIT LES TREMBLEMENTS DE TERRE
© 1998 PAWS, INC./Distributed by Universal Press Syndicate

POURQUOI NE FAIS-TU RIEN DE TEL ?

www.garfield.com
J'AI DÉJÀ DORMI PENDANT UN TREMBLEMENT DE TERRE
JIM DAVIS
5-23

GARFIELD®

FROU FROU
FROU FROU
FROU FROU

FROU FROU
FROU FROU
FROU FROU
FROU FROU
FROU FROU

www.garfield.com
FROU FROU
FROU FROU
FROU FROU
FROU FROU

ZZZT

JIM DAVIS 5-24
HI!
HI!
HI!

FROU FROU
FROU FROU
FROU FROU
© 1998 PAWS INC. Distributed by Universal Press Syndicate

POUM!

DRING!

OUF ! RIEN DE PIRE QUE SE RÉVEILLER APRÈS UN RÊVE EFFROYABLE

DRIINNG
SINON S'ÉVEILLER À UNE EFFROYABLE RÉALITÉ
JIM DAVIS 5-25

JIM DAVIS 5-26

L'OS DE LA QUEUE EST CONNECTÉ À L'OS FACIAL

IELD
© 1998 PAWS, INC /Distributed by Universal Press Syndicate

TU SAIS GARFIELD... JE NE SUIS PAS TON LAQUAIS
JE SAIS
www.garfield.com
JIM DAVIS 5·27

LES LAQUAIS TOUCHENT DES ÉMOLUMENTS
GARFIELD

WOUF WOUF WOUF
WOUF
WOUF
© 1998 PAWS, INC /Distributed by Universal Press Syndicate

C'EST TOUT CE QUE TU SAIS FAIRE ?
JIM DAVIS 5·28

UN PETIT CHIEN NOIR S'EST ASSIS SOUS MON PORCHE ET BINGO ÉTAIT SON NOM...
SI JE LUI PERMETS DE ME MORDRE, PEUT-ÊTRE QU'IL SE LA FERMERA
www.garfield.com

ÇA VA, MON GROS ?

BOUM!

AÏE! AÏE!
AÏE! AÏE!
AÏE! AÏE!
ÇA VA, GAUCHER ?
JIM DAVIS 5-29

JE MONTE SUR LE TOIT POUR REMPLACER UNE TUILE

TU VEUX M'AIDER ?
BIEN SÛR

JE TÉLÉPHONERAI AUX AMBULANCIERS
JIM DAVIS 5-30

GARFIEL

CLAC
CLAC
CLAC

AH
www.garfield.com

AH

AH!

JIM DAVIS 5-31

CROUCH
CROUCH
CROUCH

LE RIDEAU SE LÈVE !

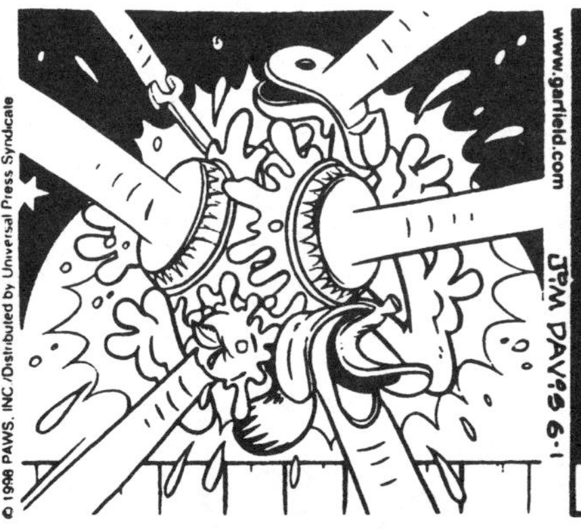
© 1998 PAWS. INC./Distributed by Universal Press Syndicate
www.garfield.com
JIM DAVIS 6-1

LE RIDEAU TOMBE !

MON AUDITOIRE PRÉFÉRÉ !

© 1998 PAWS. INC./Distributed by Universal Press Syndicate
www.garfield.com
JIM DAVIS 6-2

PERSONNE QUI SACHE VISER

QUELQU'UN A UNE DEMANDE SPÉCIALE ?

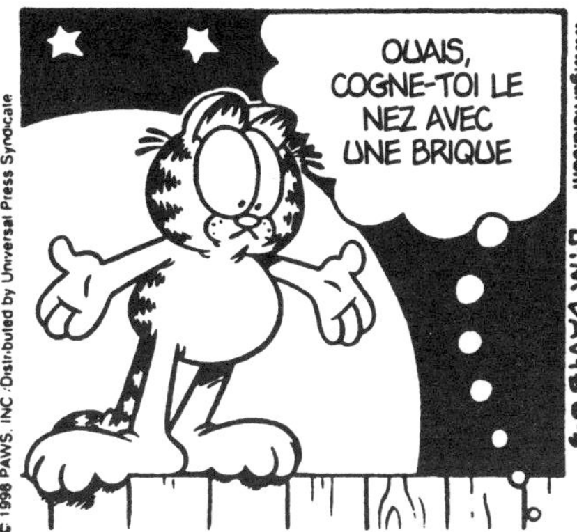
OUAIS, COGNE-TOI LE NEZ AVEC UNE BRIQUE
© 1998 PAWS, INC./Distributed by Universal Press Syndicate

www.garfield.com
JIM DAVIS 6-3
UNE DEMANDE SPÉCIALE PROVENANT D'UN NON-CHIEN ?

QUEL PUBLIC FANTASTIQUE ! LE MEILLEUR AU MONDE ! DU FOND DU CŒUR

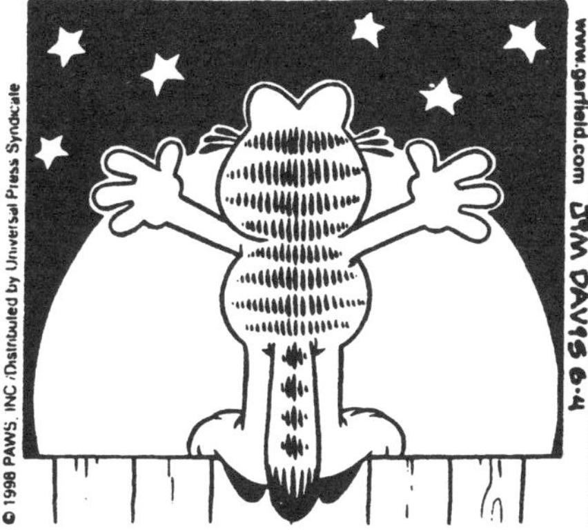
© 1998 PAWS, INC./Distributed by Universal Press Syndicate

www.garfield.com
JIM DAVIS 6-4
OH ! VOUS ÊTES DE CE CÔTÉ

LE PUBLIC ME REGARDE CAPTIVÉ PAR CE QU'IL VOIT

Z
Z
Z
Z
Z
Z
Z

OU DORMANT LES YEUX GRANDS OUVERTS

MERCI DE VOTRE PRÉSENCE

VOUS AVEZ ÉTÉ FORMIDABLES

SE SONT PAS RÉVEILLÉS UNE SEULE FOIS
6-6 JIM DAVIS

GARFIELD ®

ÉCOUTE-MOI FILOU !

RAMPE DEVANT SA GRANDESSE LA POULE DE CAOUTCHOUC !

LA FERME !
TU AS OFFENSÉ SA GRANDESSE

JE VAIS BRÛLER CE MACHIN
SON SORT EST DÉCIDÉ

www.garfield.com
SUBIS LA VENGEANCE DE LA POULE !

WHAM!

PUIS-JE LA VOIR DE PRÈS ?
SA GRANDESSE PRESSENT UNE CERTAINE HOSTILITÉ
JIM DAVIS 6-7

TU SEMBLES PLEIN D'ENTRAIN CE MATIN
VRAIMENT?
JIM DAVIS 6-8
www.garfield.com

BIZARRE... JE SUIS DANS UN ÉTAT LAMENTABLE

ALLEZ VISAGE ! SUIS LE PROGRAMME DE LA JOURNÉE !
© 1998 PAWS, INC./Distributed by Universal Press Syndicate

GARE AU CHIEN À LONGS POILS
JIM DAVIS 6-9
www.garfield.com

HA ! HA ! HA ! HA ! ON DIRAIT UNE VIEILLE VADROUILLE JAUNIE !

C'EST UNE VIEILLE VADROUILLE JAUNIE
© 1998 PAWS, INC./Distributed by Universal Press Syndicate

JE VAIS FERMER LES YEUX. QUAND JE LES OUVRIRAI, JE NE VEUX PLUS VOIR TA SALE TÊTE
JIM DAVIS 6-10

© 1998 PAWS. INC /Distributed by Universal Press Syndicate
www.garfield.com

SI JE RIS, JE NE FERAI QUE L'ENCOURAGER

SAIS-TU DE QUOI CETTE ASSIETTE A BESOIN ?
JIM DAVIS 6-11
www.garfield.com

PLUS DE POILS DE CHAT ?
© 1998 PAWS. INC /Distributed by Universal Press Syndicate

MOINS DE POILS DE CHAT !
C'ÉTAIT L'UN OU L'AUTRE

ON DIT QUE TON ANNIVERSAIRE EST POUR BIENTÔT
OUAIS, LE VINGTIÈME
GARFIELD
www.garfield.com

GARFIELD
© 1998 PAWS, INC./Distributed by Universal Press Syndicate

VEUX-TU QUE JE PASSE ÇA AU BROYEUR ?
GARFIELD
JPM DAVIS 6-12

AINSI, TU VAS AVOIR 20 ANS ?
JE NE VEUX PAS EN PARLER
www.garfield.com

AS-TU ESSAYÉ LE DÉNI ?
POURQUOI PRATIQUERAIS-JE LE DÉNI ?
© 1998 PAWS, INC./Distributed by Universal Press Syndicate

C'EST MOINS CHER QUE LA CRÈME ANTIÂGE, VIEUX
FICHE LE CAMP
JPM DAVIS 6-13

GARFIELD®

www.garfield.com

VOUS N'AVEZ PAS À ME LE RAPPELER !

JE SAIS QUE MON ANNIVERSAIRE APPROCHE !
20
GARFIELD
JIM DAVIS 6-14

TU SEMBLES DÉPRIMÉ
MON ANNIVERSAIRE APPROCHE
JIM DAVIS 6-15
© 1998 PAWS. INC./Distributed by Universal Press Syndicate

QUEL ÂGE AURAS-TU ?
VINGT ANS
www.garfield.com

FLÛTE ! GROS ET VIEUX

ZUT ! EXACTEMENT QUI JE NE VEUX PAS VOIR
POURQUOI ?
JIM DAVIS 6-16
© 1998 PAWS. INC./Distributed by Universal Press Syndicate

POUR TOUT TE DIRE, MON ANNIVERSAIRE APPROCHE
JE ME DISAIS QUE CELA SENTAIT LE 'VIEUX' ICI
www.garfield.com

OÙ EST NERMAL ?
DEHORS, À PRENDRE L'AIR

CALME-TOI GARFIELD. TU SEMBLES OBSÉDÉ À L'IDÉE DE VIEILLIR
JIM DAVIS 6-17
www.garfield.com

PLOUC !

UN CHEVEU GRIS !
BIENVENUE ! NOUS T'ATTENDIONS

BON ANNIVERSAIRE, GARFIELD ! VOICI TON CADEAU
JIM DAVIS 6-18

www.garfield.com
JE L'AI EMBALLÉ MOI-MÊME
JE VOIS

LE MOMENT EST VENU DE REGARDER DERRIÈRE, DE DRESSER UN BILAN...
JIM DAVIS 6-19
www.garfield.com

LE MOMENT DE M'ESTIMER HEUREUX...

JOYEUX 20E ANNIVERSAIRE, GARFIELD !
DE COMMENCER À MENTIR À PROPOS DE MON ÂGE
© 1998 PAWS, INC./Distributed by Universal Press Syndicate

GARE AU CHIEN
www.garfield.com

GARE AU CHIEN

GAR AU CHIE
HORS D'USAGE
JIM DAVIS 6-20
© 1998 PAWS, INC./Distributed by Universal Press Syndicate

GARFIELD®

QUEL JOUR ENNUYEUX

QUI A ENVIE DE RIGOLER ?

NOUS POURRIONS TRIER LE LINGE SALE !

NETTOYER SOUS L'ÉVIER !

VOIRE FAIRE DES BÛCHES DE PAPIER JOURNAL !

ET L'ENNUI EST UN VASTE SUJET À COUVRIR
JIM DAVIS 6-21
www.garfield.com

J'AI FAIT LE CAFÉ
COMME TU L'AIMES
MINUTE !

VAS-Y,
VERSE !
www.garfield.com
JPM DAVIS 6·22

POUF!
JPM DAVIS 6·23

PSSSSSSHHHHHH

www.garfield.com
RUSE
SSSSSss

J'AI FAIT DES EXERCICES POUR AMÉLIORER MA MÉMOIRE
ALORS, COMMENT ÇA VA ?
© 1998 PAWS, INC /Distributed by Universal Press Syndicate

www.garfield.com
J'AI FAIT DES EXERCICES POUR AMÉLIORER MA MÉMOIRE
ALORS, COMMENT ÇA VA ?
JIM DAVIS 6-24

C'EST AUJOURD'HUI LE GRAND JOUR, GARFIELD...
© 1998 PAWS, INC /Distributed by Universal Press Syndicate

AUJOURD'HUI, NOUS CHANGEONS L'AMPOULE DU FRIGO !

www.garfield.com
JE FEINS L'INDIFFÉRENCE SOUS L'APPARENCE DU DÉTACHEMENT
JIM DAVIS 6-25

DRING

PUIS-JE PARLER À L'IDIOT DE LA MAISON ?

POURRIEZ-VOUS PRÉCISER ?
JIM DAVIS 6-26

MÊME SI JE N'AI PAS TRÈS FAIM, JE VAIS MANGER UNE PETITE BOUCHÉE
JIM DAVIS 6-27

PROUF!
CROUCH!
PROUF!
MIUM
GLOU

BURP... SIMPLEMENT POUR ME DONNER DES FORCES

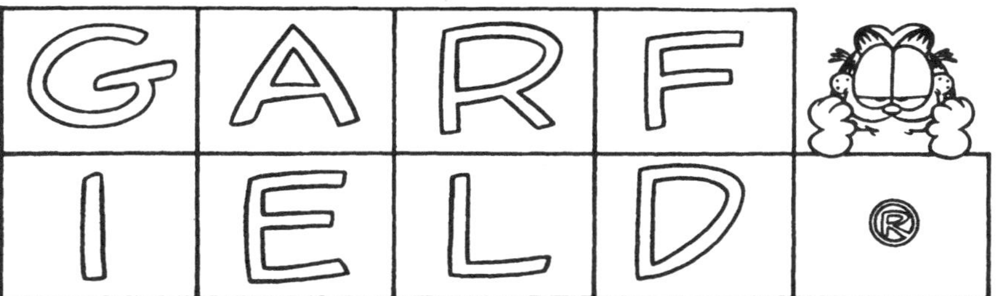
GARFIELD
®

BOUM!

PSSSHHHH
www.garfield.com

JIM DAVIS 6-28

BOUM!

EUH...
GARFIELD ?

CLIC
CLIC
CLIC
CLIC
CLIC
ZUT ! LE BOUTON POUR CHANGER LES CHAÎNES EST GOMMÉ
JIM DAVIS 6-29
www.garfield.com
CLIC
CLIC
CLIC
CLIC
CLIC
© 1998 PAWS, INC /Distributed by Universal Press Syndicate
CLIC
CLIC
CLIC
CLIC
CLIC
MIEUX...
LE CANAL CHATON PRÉSENTE : "GRAND CHEF, MINI BUDGET"
© 1998 PAWS, INC /Distributed by Universal Press Syndicate
AUJOURD'HUI : COMMENT APPRÊTER DES RESTES DE RAT PENDANT TOUTE UNE SEMAINE !
JIM DAVIS 6-30
www.garfield.com
CE RAGOÛT A DES MOUSTACHES !
ET SEULEMENT TROIS GRAMMES DE GRAS

LE CANAL CHATON PRÉSENTE : "L'HEURE DU BRIN DE LAINE QUI PENDOUILLE"
JIM DAVIS 7-1
www.garfield.com
© 1998 PAWS, INC./Distributed by Universal Press Syndicate
ICI, UNE BANDE DE LIONS SE PRÉPARENT À SE GAVER
© 1998 PAWS, INC./Distributed by Universal Press Syndicate
ILS RUGISSENT, TRIOMPHANTS, DEVANT LEUR PROIE
JIM DAVIS 7-2
www.garfield.com
À PRÉSENT, ILS SE PASSENT UN RINCE-DOIGTS ET DES SERVIETTES DE TABLE
MAUVIETTES !

OH! CÉCILE MA CHÉRIE, JE T'AIME TELLEM..., TELL... MAAAAAACCK!
© 1998 PAWS, INC./Distributed by Universal Press Syndicate
MOI AUSSI JE T'AIME REGINALD, DE TOUT MON C... CŒUR... HAAAARRRK!
JIM DAVIS 7-3
www.garfield.com
HAAAACK!
HAAARRK!
BOULE DE POILS COINCÉE DANS LA GORGE!
CLIC
www.garfield.com
"CLIQUE" TOI-MÊME
© 1998 PAWS, INC./Distributed by Universal Press Syndicate
JIM DAVIS 7-4
COMMENT ÉTAIT LA TÉLÉ CE SOIR?
SUSCEPTIBLE

GARFIELD®

MARCHANT CONTRE LE VENT

ENFERMÉ DANS UN COFFRE

APPUYÉ CONTRE UN MURET

GARFIELD !
JIM DAVIS 7-5

OUI ?
AS-TU VU MON POISSON MIME DE MONGOLIE ?

J'AI VU SON NUMÉRO
TU AS DU ROUGE SUR LES DENTS

HOUP
TROP PARESSEUX POUR ME CONTOURNER, PAS VRAI ?
TU BOUGERAS BIEN UN JOUR
CHAT SORTANT D'UNE CORBEILLE !
CE JEU DURE PEU DE TEMPS MAIS IL EST RIGOLO
JIM DAVIS 7-6
JIM DAVIS 7-7
www.garfield.com
© 1998 PAWS, INC./Distributed by Universal Press Syndicate

BESOIN D'AIDE ?
JIM DAVIS 7-8

MERCI JON

À PRÉSENT, J'AURAI TERMINÉ EN MOITIÉ MOINS DE TEMPS

J'EMMÈNE ODIE EN PROMENADE

JIM DAVIS 7-9

SA LAISSE A DISPARU

À QUOI TE SERT TA QUEUE ?
JIM DAVIS 7-10

JON, JON, JON

ELLE M'EMPÊCHE DE TOMBER

SAIS-TU CE QUE J'AIMERAIS ?
JIM DAVIS 7-11

UNE BOÎTE GÉANTE DE CRÈME GLACÉE AUX FRAISES ET AUX NOISETTES ?

UN PEU DE SOLITUDE
ÇA EN FAIT PLUS POUR MOI

WWW
.GARFIELD.
COM

ARRÊTE !

N'APPROCHE PAS, SINON JE SAUTE !
N'EN FAIS RIEN, HENRI ! TU AS TANT DE RAISONS DE VIVRE !

C'EST MOI, GRETA, TA FEMME ET TES QUATORZE BOUTURES !
NAN...
JIM DAVIS 7-12
www.garfield.com

TA MÈRE ET TON PÈRE SONT LÀ, AVEC TON CONFESSEUR ET LA CHORALE AU COMPLET...
EUH

ET TES 32 FRÈRES ET SŒURS !... MÊME TA VIEILLE GRAND-TANTE ROSE EST VENUE DE...

CHOU

SI CE N'ÉTAIT PAS SI IDIOT, CE SERAIT TRAGIQUE
SNIFF

LA VIE A SES CRÊTES ET SES CREUX
J'AI DES CRÊTES
JE N'AI RIEN DIT
JIM DAVIS 7-13
© 1998 PAWS, INC./Distributed by Universal Press Syndicate
www.garfield.com
www.uexpress.com
JIM DAVIS 7-14
MIAM
MIAM
MIAM
MIAM
MIAM
MIAM
MIAM MIAM MIAM
MIAM
MIAM MIAM
MIAM
MIAM
VAS-TU AVALER ? !
SEULEMENT SI TU M'EN DONNES ENCORE
MIAM
MIAM
MIAM
MIAM
MIAM
GARFIELD
© 1998 PAWS, INC./Distributed by Universal Press Syndicate
www.garfield.com
www.uexpress.com